Panorama

Deutscher Sprachkurs
by David Shotter

A Complete German Course in four parts
Deutscher Sprachkurs 1: Biberswald
Pupil's Book
Set of four 5″ tapes, with printed text of
    Dialogues and Drills
Set of overhead-projector materials
Teacher's Book

Deutscher Sprachkurs 2: Unterwegs
Pupil's Book
Set of four 5″ tapes, with printed text of
    Dialogues and Drills
Set of overhead-projector materials
Teacher's Book

Deutscher Sprachkurs 3: Angekommen
Pupil's Book
Set of two 5″ tapes

Deutscher Sprachkurs 4: Panorama
Pupil's Book
Teacher's Book
Set of three 5″ tapes/set of three cassettes

Deutscher Sprachkurs 4

Panorama
Teacher's Book

by
David Shotter

*Head of the Faculty of Modern Languages,
Furze Platt Comprehensive School, Maidenhead*

Hartmut Ahrens

*Oberstudienrat
Gewerbeschule und Wirtschaftsgymnasium Kehl am Rhein*

HEINEMANN EDUCATIONAL BOOKS
LONDON

Heinemann Educational Books Ltd
22 Bedford Square, London WC1B 3HH
LONDON   EDINBURGH   MELBOURNE   AUCKLAND   TORONTO
SINGAPORE   KUALA LUMPUR   NEW DELHI
IBADAN   NAIROBI   JOHANNESBURG
PORTSMOUTH (NH)   KINGSTON

British Library Cataloguing in Publication Data

Shotter, David
Panorama – (Deutscher Sprachkurs)
Teacher's Book
1. German language – Composition and exercises
I. Title   II. Ahrens, Hartmut   III. Series
438.2′421   PF3112

ISBN 0–435–38848–7

Printed and bound in Great Britain by
Biddles Ltd, Guildford and King's Lynn

CONTENTS

I. Key to the English Prose Passages for Translation into German

Authors' note:
We wish to make it clear that the versions of the prose passages for translation into German that follow are our own suggestions. They are by no means definitive and none of them has been supplied by any of the examining boards concerned. Alternative translations are in round brackets; words and phrases which are not essential, but which may be included if so wished, are in square brackets.

1. Ein Austauschbesuch

Um halb fünf verließ ich unser Haus (ging ich aus dem Haus) und ging zur nächsten Haltestelle, um den Bus zur Stadtmitte zu bekommen (erreichen). Jürgen, mein deutscher Brieffreund, (Mein deutscher Brieffreund Jürgen) kam [nämlich] nach England (kam gerade in England an), und ich wollte ihn vom Bahnhof abholen. Sein Zug sollte um fünf [Minuten] nach sechs ankommen.

Zu Ostern war ich nach Deutschland gefahren und hatte bei seinen Eltern (im Hause seiner Eltern) in Endingheim, einem kleinen Dorf in der Nähe (nicht weit) von Köln, gewohnt (und hatte mich ... Endingheim, ..., aufgehalten). Ich mußte Deutsch sprechen, während ich in Deutschland war (Während meines Aufenthaltes in Deutschland ... sprechen), und nun (jetzt) war er mit Englischsprechen an der Reihe (war er an der Reihe, Englisch zu sprechen). Ich mochte Jürgen gern, weil er immer fröhlich (lustig/guter Laune/gutgelaunt/heiter) war, und wir waren gute Freunde (Kameraden) geworden.

Während seines Aufenthaltes in England machten wir viele Ausflüge (Reisen). Zum Glück (Glücklicherweise) war es ein sehr heißer Sommer, und wir konnten im Freibad schwimmen (ins Freibad gehen) und Tennis spielen. Manchmal half Jürgen meiner Mutter in der Küche oder meinem Vater draußen beim Autowaschen (... Vater, wenn er draußen sein Auto wusch).

2. Der Umzug

Wir waren alle sehr aufgeregt. Vor drei Monaten hatte mein Vater eine bessere Stelle bekommen, und nun (jetzt) wollten wir gerade (waren wir im Begriff/standen wir kurz vor dem [+ *noun*]) in ein größeres Haus in einem netten (schönen/angenehmen) (Stadt)viertel von München (zu) ziehen

1

(umzuziehen). Der Tag des Umzug(e)s kam [heran], und wir standen sehr früh auf. Am Vortage (Tag zuvor) hatten wir schon viele [der] kleinere[n] Sachen (Dinge) gepackt, wie z.B. (– . . . . –) [das] Besteck, [das] Geschirr, [die] Vasen, und unsere Bücher, und wir warteten jetzt (. . . jetzt warteten wir) auf den Möbelwagen! Er kam kurz nach neun [an] (war . . . da), und drei kräftige (starke) Männer stiegen aus. Mein jüngerer Bruder und ich halfen ihnen, Möbel aus dem Haus in den Wagen zu tragen. Zweieinhalb Stunden später war unser altes Haus ganz (völlig) leer, und die ganze Familie war (fühlte sich) ein bißchen (ein wenig) traurig, als wir wegfuhren.

Nach kurzer (einer kurzen) Fahrt kamen wir jedoch an unserem neuen Haus an, und die Männer begannen (fingen an), alles [wieder] aus dem Wagen ins Haus zu tragen. Meine Eltern sagten den Männern, wo die Möbel hinsollten. Nachdem die Männer [wieder] weggefahren waren, hatten wir Hunger (waren wir hungrig), und wir beschlossen, unsere erste Mahlzeit in unserer neuen Küche zu essen (einzunehmen).

3. Ein Wohnungsbrand

Der alte Mann (Alte) war im Wohnzimmer in seinem Sessel eingeschlafen. Er hatte ferngesehen und nicht gemerkt (bemerkt), daß die Pfeife, die er geraucht hatte, auf den Teppich gefallen war. Nach kurzer Zeit (In wenigen Augenblicken/Sekunden) fing der Teppich Feuer. Zum Glück wachte der Mann auf. Zuerst war er so erstaunt über den Rauch und die Flammen, daß er nicht wußte, was er machen (tun) sollte, aber dann wurde ihm [doch] klar (erkannte er doch), daß er das Zimmer so schnell wie möglich verlassen mußte. Er hatte gerade noch [genug] Zeit, das Fenster, das [nur] leicht vorstand (leicht geöffnet war/offen stand), zu schließen (zuzumachen), dann stürzte (rannte) er in den Flur, wobei (indem) er die Wohnzimmertür hinter sich zumachte (schloß). (. . . dann machte er die Wohnzimmertür hinter sich zu und rannte . . .). Er rief schnell die Feuerwehr an, und sagte ihnen (ihr), was passiert war, und wo er wohnte. Nach einigen Minuten kamen zwei große rote Feuerwehrautos (an), und es gelang den Feuerwehrleuten, das Feuer (den Brand) zu löschen (und die Feuerwehrleute konnten . . . löschen), ehe (bevor) es das ganze Haus vernichtet (zerstört) hatte. Es dauerte jedoch mehrere Monate, bis der Schaden (die Schäden) repariert wurde(n) (war(en)), und der alte Mann mußte bei seiner jüngsten Tochter bleiben (wohnen), bis das Haus wieder fertig (repariert) war.

4. Der Einbrecher

Als ich gestern nacht (spät gestern abend/gestern spät abends) nach Hause kam, bemerkte ich, daß das Eßzimmerfenster weit offen war (stand). Ich war sicher, daß ich es vor dem Verlassen des Hauses geschlossen hatte (. . . geschlossen hatte, bevor ich das Haus verließ), und ich (be)fürchtete, daß jemand während meiner Abwesenheit (. . .während ich weg war, . . .) einge-

2

brochen hatte. Ich schaute (sah) schnell durch das Fenster (zum . . . hinein),
öffnete die Wohnungstür und ging direkt (geradewegs) ins Eßimmer. Fast
(Beinahe) weinte ich (Ich weinte fast/beinahe). Meine schönen Bücher waren
aus (von) ihren (Bücher)regalen geworfen worden. Schubladen waren aus
dem Büfett (der Anrichte) gezogen worden, und Papiere (Akten/Schrift-
stücke/Dokumente) waren aus meinem Schreibtisch genommen und auf den
Teppich geworfen worden. Ohne (Auch nur) einen Augenblick (Zeit) zu
verlieren (Ohne die geringste Zeit zu verlieren/Sofort) rief ich die Polizei an.
Ich war erstaunt (Ich staunte), wie schnell sie kam; denn nur zwei oder drei
Minuten später (nach nur zwei oder drei Minuten) fuhr ein Polizeiauto [vor
dem Haus(e)] vor (hielt ein Polizeiauto vor dem Hause), und zwei große,
starke (kräftige) Polizisten stiegen aus. Ich zeigte ihnen das Eßzimmer, und
erklärte bald (war bald dabei zu erklären), was passiert (geschehen) war. Sie
erzählten (sagten) mir, daß am selben (gleichen) Nachmittag ein junger Mann
gesehen worden sei, der (wie er/als er) zwei Straßen(züge) weiter in ein
anderes Haus (ein)stieg (beim Einsteigen . . . gesehen worden sei), und daß es
ihnen gelungen sei, ihn zu verhaften.

5. Der Regenschirm

Die Leute sagen (Man sagt), daß es Unglück bringt, wenn man einen Regen-
schirm im Hause (in der Wohnung/drinnen) aufspannt. Am letzten Sonnabend (Samstag) war ich auf dem Dachboden (Speicher/in der Boden-
kammer) unseres Hauses und suchte einige alte Bücher, die ich lesen wollte,
als ich einen Schirm fand, der meinem Vater gehört hatte, kurz bevor er
gestorben war. Er hatte ihn [erst] kurz vor seinem Tod(e) gekauft, und er sah
noch neu aus, obwohl er natürlich ein bißchen staubig (verstaubt) war. Ich
nahm ihn mit nach unten und spannte ihn im Wohnzimmer auf, um zu sehen,
ob er Löcher hatte (hätte/habe). Zum Glück (Glücklicherweise) war das
(dies) nicht der Fall (Das/Dies war . . .).
(Am) Montagmorgen beschloß ich, ihn mit zur Arbeit zu nehmen, falls es
regnen würde (im Falle, daß es regnen würde). Die Sonne schien hell, als ich
das Haus verließ, und ich ließ meinen Regenmantel zuhause. Wie immer
(üblich/gewöhnlich) ging ich zum Bahnhof (Ich ging . . . wie gewöhnlich . . .), und ich war ganz stolz auf meinen (fühlte mich ganz stolz mit
meinem) neuen Schirm. Als der Zug kam (einfuhr), stieg ich ein, legte den
Schirm in das Gepäcknetz, setzte mich auf (in) einen Eckplatz am (ans)
Fenster und begann (fing an), meine Zeitung zu lesen. Von Zeit zu Zeit (Ab
und zu) schaute ich aus dem Fenster oder unterhielt mich mit meinem alten
Freund (einem . . . von mir), der an der nächsten Station (Haltestelle/am
nächsten Bahnhof) zugestiegen war. Die Fahrt dauerte ungefähr (etwa) eine
Dreiviertelstunde, und als ich ausstieg, vergaß ich völlig, daß ich meinen
Schirm im Gepäcknetz gelassen hatte. Natürlich kam ein Platzregen
[herunter] (regnete es plötzlich stark), als ich den Bahnhof verließ, und ich
wurde wirklich sehr (recht/völlig/durch und durch) naß.

6. Am Strand

„Wollen wir [nicht] schwimmen (baden) gehen? Das Wasser sieht herrlich (wunderbar) aus."

„Ich möchte (würde) lieber noch ein bißchen länger sonnenbaden. Ich mag diesen Strand (hier) lieber (ziehe . . . vor). Es ist bequemer (gemütlicher), auf dem (im) Sand zu liegen als auf den (diesen) schrecklichen Steinen, die wir letztes Jahr hatten. Ich habe mir immer (regelmäßig) die Füße wehgetan, wenn ich ans Meer (Wasser) hinunterging!"

„Wir hätten früher [hierher] kommen sollen. Dann hätten wir zu dem (jenem) alten Leuchtturm dort (da) gehen können."

„Oh, Andreas, du bist so voller Energie (energiegeladen)! Würdest du mir bitte die Sonnencreme reichen (geben), und meine Sonnenbrille. Sie (Die Sachen) sind dort drüben in meiner Handtasche. Es ist so heiß!"

„[So], bitte schön! (Hier, bitte schön!) Guck mal (Schau mal), das große Schiff am Horizont! (Sieh/Guck/Schau dir mal . . . an!). Wo es wohl hinfährt? (Ich möchte/würde gern wissen, wo es hinfährt)."

„Es fährt wohl (wahrscheinlich) nach Schweden. Ich glaube, es ist die Autofähre, die wir sahen, als wir gestern (hier) ankamen."

„Wenn du (jetzt) noch nicht (gleich) schwimmen (baden) [gehen] willst (möchtest), werde ich [dann] wohl (werde ich, glaub' ich,) einige (ein paar) Muscheln und ein bißchen Seetang sammeln (suchen) und auf die Felsen (da) bei den Klippen (bei dem Steilhang) klettern (auf die Felsen . . . steigen/die Felsen . . . besteigen)."

„Gut, dann kann ich (ja) hier in Ruhe (Frieden) liegen und mein Buch lesen."

„Typisch! Aber später kommst (gehst) du doch [mit] baden (schwimmen), nicht wahr?"

„Natürlich, aber ich möchte erst braun werden. Bringst du mir (Bring mir doch) bitte ein Eis mit, wenn du zurückkommst!"

7. Eine Bergwanderung

Im letzten Jahr (Letztes Jahr) verbrachten wir unsere Sommerferien in Goslar, einer schönen alten Stadt im Harz. Eines Tages beschlossen wir, eine Bergwanderung zu machen, weil wir Kinder noch nie im Gebirge (in den Bergen) gewesen waren. Wir konnten nicht verstehen, warum wir nicht unsere leichte Sommerkleidung und Turnschuhe tragen durften, da es (wo es doch) ein [so] schöner heißer (warmer) Tag war; aber unsere Eltern bestanden darauf, daß wir (jeder) einen Pullover und feste Schuhe mit dicken Sohlen trugen (anhatten/antrugen). Wir packten (füllten) unsere Rucksäcke mit belegten Broten, Obst, Getränken und Schokolade, und wir packten auch unsere Anoraks ein.

Nach einem kräftigen Frühstück gingen wir ungefähr (etwa) um halb sieben morgens los. Wir folgten einem Pfad (Weg), der durch das Tal langsam bergauf führte, bevor (ehe) wir in den Wald kamen (gingen). Zweieinhalb Stunden später machten wir unsere (die) erste Rast in einem

4

Berggasthaus (–gasthof). Hinter dem Gasthaus wurde der Weg immer steiler; und nach der Karte, die mein Vater mitgenommen hatte, befanden wir uns bald in etwa 1500 m Höhe (waren wir bald auf einer Höhe von etwa 1500 Metern/hatten wir bald eine Höhe . . . erreicht). Wir sahen, wie einige (ein paar) Männer Kiefern und Fichten fällten (schlugen). Nach dem Wald erreichten wir eine schöne Wiese, wo [einige] Kühe grasten (weideten), und wo wir beschlossen, [zu] Mittag zu essen. Die Sonne war sehr heiß, und die Luft war ziemlich dünn, und es war windig. Nachdem wir uns ein wenig (ein bißchen) ausgeruht hatten, machten wir uns wieder auf den Weg (gingen wir weiter/gingen wir wieder los). Je höher wir kletterten, desto (je) kälter wurde es, und wir sahen sogar Schnee auf einem (Berg)gipfel (einer Bergspitze). Schließlich erreichten wir unseren (Berg)gipfel, und wir waren froh (freuten uns), daß wir mit der Seilbahn hinunterfahren ([hin]abfahren) konnten (froh, mit . . . hinunterfahren zu dürfen).

8. Skifahren in Österreich

„Wie hat dir dein (euch euer) Urlaub in Österreich gefallen?" Meine Schwester war gerade aus Oberkieselstein zurückgekommen (zurückgekehrt), und (sie) war sehr (schön) braun (sah sehr gebräunt aus/sah schön braun aus). Ich fahre gerne Ski (Ich mag Skilaufen gerne), und ich wollte gern(e) hören (war interessiert zu hören), wie es ihr in dem Urlaubsort gefallen hatte (was sie von dem Urlaubsort hielt), besonders da (weil) sie [ja] ihre zwei kleinen Kinder mitgehabt (mitgenommen) hatte. Sie erzählte mir, daß das Hotel sehr komfortabel (gemütlich) und das Essen gut gewesen sei(en), und fügte hinzu, daß es verhältnismäßig billig gewesen sei.

„Bist du (Seid ihr) viel Ski gelaufen (gefahren)?" fragte ich. „Jeden Tag außer an zwei Tagen, wo (als) es zu sehr schneite." Sie erklärte, es seien dort lange, breite Abfahrtspisten (Abfahrten) (vorhanden), die (gleich) bei den Idiotenhügeln (Anfängerpisten) endeten, und daß sie die Kinder dort bei einem sehr guten (hervorragenden/ausgezeichneten) Skilehrer hätten lassen können. Glücklicherweise war der Sessellift auch direkt neben dem Hotel.

„Und was habt ihr gemacht, wenn ihr nicht Ski gefahren seid (fuhrt)?"

„Wir gingen in den (durch die) Kiefernwälder(n) (spazieren), schwammen im geheizten Schwimmbecken des Hotels und liefen Schlittschuh auf der Schlittschuhbahn (Eisbahn) (in dem Eisstadion, das . . .), die im letzten Jahr (während des letzten Jahres/im Jahr davor/im vorigen Jahr) im Dorf gebaut worden war. Abends tanzten und tranken wir im örtlichen Bierkeller (Bierkeller des Ortes/am Orte)."

9. Campingferien (Ferien im Zelt)

Während der großen Ferien beschlossen Uwe und sein (bester) Freund Peter eine Radtour am Rhein entlang (entlang des Rhein(e)s) zu machen (auf eine Radtour . . . zu gehen). Bevor (Ehe) sie losfuhren, sahen sie sich die

(Land)karte genau (sorgfältig) an (schauten sie genau auf die (Land)karte), um ihre Route (ihren Weg) zu planen. Zuerst wollten sie in Jugendherbergen übernachten, aber später änderten sie ihre Meinung und waren der Ansicht (dachten/meinten), Zelten (Campen/Camping) würde mehr Spaß machen. An einem sonnigen Sommertag im Juli fuhr Uwe früh am Morgen los; seine Ausrüstung hatte er hinten am (auf dem/an seinem/auf seinem) Fahrrad festgeschnallt. Er und sein Freund hatten ausgemacht, sich an der Straßenecke (nahe) beim alten Marktplatz zu treffen. Nachdem (als) sie zwei Stunden [lang] gefahren (geradelt) waren, lehnten (stellten), sie ihre Räder an (gegen) einen hohen Kastanienbaum und setzten sich ins Gras, um Mittag zu essen. Am Nachmittag besuchten (besichtigten) sie ein altes Schloß und schwammen im Fluß, da (weil) es so heiß war. Gegen (Etwa um) halb fünf (4 Uhr 30/16.30 Uhr) beschlossen sie, daß es Zeit sei (wäre) (beschlossen sie dann), den Zeltplatz (Campingplatz) zu suchen (aufzusuchen), der auf einem Feld neben (bei) einem alten Bauernhof (in der Nähe eines alten Bauerhofs) war (lag). Während sie ihr Zelt aufschlugen, bemerkten sie, daß sich der Himmel immer mehr verdunkelte (der Himmel immer dunkler wurde), und kurz nachdem sie fertig waren, fing es [auch] tatsächlich an zu regnen (begann es tatsächlich [auch] zu regnen). Es gab einen heftigen Sturm mit grellen Blitzen und lautem Donner. „In einer Jugendherberge wäre es trockener und gemütlicher gewesen", sagte Peter.

10. Schlechte Nachrichten

„Erwin", sagte Frau Hühner, als sie ins Wohnzimmer kam (das Wohnzimmer betrat), „ich habe schlechte Nachrichten (Neuigkeiten). Dein Großvater ist sehr (schwer) krank, und Papa (Vati) und ich werden heute abend nach Paris fahren müssen (müssen . . . fahren), um ihn zu besuchen." Frau Hühner war Französin und lebte (wohnte) schon seit ihrer Eheschließung (Heirat) vor 16 Jahren in Bayern. „Wir haben uns entschlossen, [dorthin] zu fliegen (hinzufliegen), da (weil) das [ja] schneller ist (geht) (denn das geht (ja) schneller)," fügte sie hinzu. „Dürfen (Können) wir [auch] mitkommen (Können Dürfen wir mit?)?" fragte Achim, Erwins jüngerer Bruder, der gerade ins Zimmer gekommen war (gerade eingetreten war) und gehört hatte, was seine Mutter gesagt hatte.
„Wir sind noch nie (mit einem Flugzeug) geflogen (in einem Flugzeug gewesen), und wir würden sehr gerne fliegen." „Nein, dieses Mal (geht es) leider nicht. Euer Großvater ist im Krankenhaus, und es wäre zu schwierig (kompliziert) (würde . . . sein). Ich habe gerade (soeben) mit [eu(e)rer] Tante Jutta in Hamburg telephoniert (habe . . . eure Tante . . . angerufen), und sie sagt, daß ihr beide bei ihr bleiben könnt(et) (dürft(et)), während (solange) wir in Frankreich sind." „Wie kommen wir (denn da) hin? (Wie werden wir hinkommen?) Du kannst (Ihr könnt) uns ja (doch) nicht hinbringen, nicht wahr (oder)?" Achim schaute besorgt (sorgenvoll) drein (sah besorgt aus).

„Dein Vater und ich sind beide der Meinung (Ansicht) (meinen/glauben beide), daß ihr alt genug seid, um selbst (alleine) zu fahren (reisen). Ihr könnt mit dem Zug fahren (reisen)." Später an dem (jenem) Nachmittag fuhren Herr und Frau Hühner ihre beiden (zwei) Söhne zum Bahnhof. „Zweimal erster Klasse (Zwei Fahrkarten erster Klasse/Zwei erster Klasse Fahrkarten) nach Hamburg, bitte (Ich hätte/möchte zweimal . . ., bitte)", sagte Frau Hühner [zu] dem Mann am Fahrkartenschalter. „Einfach oder hin und zurück?" („Einfache Fahrt/Fahrkarte oder Rückfahrt/Rückfahrkarte?") fragte er. Herr Hühner hatte, während seine Frau die Fahrkarten kaufte (löste), herausgefunden (festgestellt) (Während seine Frau . . . kaufte, hatte Herr Hühner herausgefunden), daß der Zug um 15.50 Uhr vom (von/aus) Gleis 12 abfuhr (abfährt). Sie gingen alle auf den (zum) Bahnsteig, und die Jungen (Jungs) sahen (es wurde den Jungen klar), daß es ein Inter-City-Zug war. „Das ist ja fast so gut wie Fliegen (wie mit dem Flugzeug)", sagte Erwin.

11. Ein Telephongespräch

Hallo, Max! Bist du's? (Hallo, ach, *du* bist's, Max!) Ja, ich rufe vom Büro [aus] an. [Es ist] Schön, deine Stimme wieder mal (einmal) zu hören. Wie geht's dir? Mir? Gut, danke (Danke, gut). Und wie geht's Helga und den Kindern? Wirklich? Das ist [ja] wunderbar (prima/wundervoll/herrlich). Das Wetter? Oh (Ach), es regnet schon, seit ich heute morgen aufgestanden bin. Die Fahrt zur Arbeit war schrecklich. Es scheint immer (jedesmal) mehr Verkehr auf den Straßen zu sein (. . . immer mehr Verkehr zu herrschen), wenn es naß ist. Hast du Zimmermann gestern sprechen können? (Ist es dir gelungen . . . zu sprechen/Hast du Zimmermann . . . noch erreicht?) Er schrieb mir in seinem letzten Brief, daß er schon zu (in) der neuen Fabrik gewesen sei (die neue Fabrik schon besucht habe), und daß er von dem, was er gesehen habe (hätte), sehr beeindruckt gewesen sei. Er schrieb, daß er mit dir persönlich (persönlich mit dir/dich persönlich) sprechen woll(t)e, und daß er bereit sei (sein würde) (wäre), nach Frankfurt zu fliegen.

Das hast du schon [getan]? Gut (Prima)! Und ist er bereit, zu verhandeln (Und will er verhandeln)? Ja, ich weiß, er ist ein schlauer (kluger) Bursche, und gerissen (schlau), aber [die] Hauptsache [ist], daß er [damit] einverstanden ist, [sich mit] uns zu treffen. Ich habe meine Sekretärin schon veranlaßt, mir für morgen abend einen Flug von Heathrow zu buchen (reservieren). Ich soll um 19.30 (7.30) Uhr in Frankfurt ankommen. Du kannst mich abholen? Gut! Ja, mit dem größten Vergnügen übernachte ich bei dir (euch) (Ja, sehr gerne würde ich bei euch übernachten). Es wird wahrscheinlich zwei Tage dauern, bis das Geschäft abgewickelt ist (sein wird). Macht das (auch) wirklich für Helga nicht zuviel Umstände (Mühe)? (Bist du sicher, daß das für Helga nicht zuviel Umstände macht?) Gut (Schön)! Dann bis morgen, ich freue mich. (Ich freu' mich d(a)rauf, dich morgen zu treffen (sehen)). Tschüs (Wiederseh'n/'Wiederhör'n)!

7

12. Studentenzeit (Studententage) in Tübingen

Als ich in Tübingen studierte, ging ich, anstatt [Mittag] zu essen, um die Mittagszeit oft zum Neckar hinunter. Ich verbrachte dann gewöhnlich die Stunde, die ich in einem Restaurant hätte verbringen können, dort unten am Ufer (Fluß-). (Die Stunde, die . . ., pflegte ich . . . zu verbringen.) Ich war damals [auch] nicht ärmer, als ich es in den Jahren zuvor in Oxford gewesen war, aber ich brauchte das Geld, das ich für Essen hätte ausgeben müssen, für andere Dinge! Alles war so teuer (Es war alles so teuer), und außerdem aß ich abends immer gut (eine gute Mahlzeit). Manchmal saß ich [auch] auf einer Bank bei (nahe) der Brücke und schaute (sah) zu, wie die Studenten den Fluß hinaufruderten, oder ich las vielleicht auch einen deutschen Roman, oder schrieb meinen Eltern einen Brief (schrieb einen Brief nach Hause). Ich fühlte mich in einer solchen alten (in dieser alten) Universitätsstadt sehr wohl. Die kopfsteingepflasterten Straßen waren eng, und die alten Gebäude waren anheimelnd (seltsam anziehend) und stilvoll (voller Eigentümlichkeit). An Markttagen schlenderte (bummelte/spazierte) ich besonders gern zwischen den farbenprächtigen (bunten) (Verkaufs)ständen herum, die vor dem herrlichen (malerischen/prachtvollen) alten Rathaus aufgebaut [worden] waren.

13. Ein Zwischenfall an (nahe) der Grenze

„Da ist er [ja]!" Ich hörte jemanden aus der Richtung des alten Gasthauses rufen. Kurz darauf (danach) stand der Wirt vor mir. Er schien sehr (ganz) aufgeregt (erregt) zu sein. „Wir dachten, Sie hätten einen Unfall gehabt! Wo waren Sie [denn] gestern abend (. . . sind Sie . . . gewesen)?"

Seine Frau hatte am (an jenem) Morgen entdeckt, daß ich nicht in meinem Bett geschlafen hatte, und sie glaubte, daß ich ermordet worden sei. Folglich (Also/Daher/Deshalb) hatte sie die Polizei angerufen. In diesem Moment sah ich tatsächlich (Und wirklich/tatsächlich, in diesem Moment . . .), wie sie und ein Polizist schnell auf uns zugegangen kamen (auf uns zugingen). (. . . sah ich sie mit einem Polizisten tatsächlich auf uns zugehen.) „Ich kenne diese Gegend nicht sehr gut, und ich habe mich verirrt", antwortete ich so ruhig wie möglich (wie ich konnte). „Und die Nacht war so (wunder)schön, daß ich zum ersten Mal [wieder] seit meiner Kindheit beschloß, [wieder] im Freien zu schlafen. Es war wunderbar! Es (Das) tut mir aber leid, daß Sie sich meinetwegen (um mich) Sorgen gemacht haben." Der Polizist sah (schaute) mich ärgerlich (verärgert) an, als er und die Frau des Wirts mich erreichten. „Woher kommen Sie (Wo sind Sie her)?" fragte er. „Haben Sie Papiere? Wer sind Sie [eigentlich]?"

Mein Herz begann (fing an), schneller zu schlagen. Wenn er das Geld entdeckte (entdecken würde), würde er annehmen (glauben), daß ich es über die Grenze in die Schweiz zu schmuggeln versuchte, und ich würde verhaftet [werden]. Was sollte ich tun (machen)?

8

14. Ein Besuch im Zoo

Die Kinder hatten viel Spaß (Vergnügen) (amüsierten sich gut) im Zoo. Sie mochten die Affen am liebsten (Ihnen gefielen die Affen am besten), und sie hätten sie stundenlang beobachten (ihnen stundenlang zuschauen) können, denn sie fanden ihre Possen (Streiche/Fratzen/Faxen) so amüsant (lustig/witzig). Obwohl sie für die Schimpansenkaffeetafel zu spät gekommen waren (die Schimpansenkaffeetafel verpaßt hatten), konnten sie [doch] eine Menge andere(r) (viele andere) Tiere sehen (besuchen). Sie hatten sich immer vorgestellt (immer die Vorstellung gehabt/gedacht), daß Löwen und Tiger wilde (furchterregende) Tiere seien (sind), und sie stellten erstaunt fest (waren erstaunt festzustellen), wie gelangweilt sie aussahen — sie schliefen [zum Beispiel], oder streckten (reckten) sich, oder gingen einfach (nur) in ihren Käfigen auf und ab. Als sie zu den Bären kamen, war [gerade] Fütterung(szeit), und der Wärter wollte ihnen gerade [etwas] rohes Fleisch hinwerfen (vorwerfen). Den Kindern gefiel das nicht. Sie zogen die Elefanten vor (mochten . . . lieber) und lachten, als einer [von ihnen] sich zu waschen begann (anfing), indem er Wasser aus seinem Rüssel (ver)spritzte (. . . aus seinem Rüssel Wasser . . .). Eine Menschenmenge hatte sich um die Pinguine versammelt, die [gerade] auf und ab watschelten wie lustige alte Kellner in Fräcken (mit/im Frack). Neben ihnen fingen [gerade] die Seehunde und Seelöwen die Fische auf, die ihnen der Wärter zuwarf. Den Kindern taten die Rhinozerosse und Nilpferde (Flußpferde) leid, weil sie so häßlich waren und so traurig aussahen (dreinschauten), aber sie mochten die Schlangen, Krokodile und Alligatoren nicht (. . . ihnen gefielen . . . nicht), weil — obwohl sie zu schlafen schienen — sie trotzdem sehr, sehr gefährlich aussahen.

15. Der Bauer und sein Esel

Eines Tages wanderten (gingen) ein russischer Bauer und sein kleiner Sohn eine staubige Bergstraße entlang; sie brachten ihren Esel in eine kleine Stadt, um ihn dort auf dem Markt zu verkaufen. Sie waren noch nicht lange (weit) gegangen, als sie einem jungen Soldaten begegneten (einen jungen Soldaten trafen), der über sie zu lachen begann (der anfing, . . .). „Sie sind (Ihr seid) ein seltsamer Mann", sagte der Soldat zu dem Bauern. „Warum wandern Sie diese staubige Straße mit einem Esel entlang, der nichts trägt? Sie sollten (Ihr solltet) auf ihm reiten!" Als der Bauer das (dies) hörte, bestieg er (stieg er auf/setzte er sich auf) den Esel und ritt weiter, [und] sein Sohn [ging] an seiner Seite. Als sie ein paar (einige) Kilometer weiter gelangt (gekommen) waren, begegneten sie einem zweiten Soldat(en) (begegnete ihnen ein zweiter Soldat), der ärgerlich zu dem Bauern sagte (und der sagte ärgerlich . . .): „Sie sollten sich (Du solltest dich) schämen! Sie reiten gemütlich auf Ihrem (deinem) Esel, aber (und) Ihr (dein) kleiner Sohn muß laufen." Der Bauer, der ein einfacher Mann war, schämte sich auch (tatsächlich) und setzte seinen Sohn vor sich in (auf) den Sattel, und sie reisten beide auf dem Esel weiter (und beide setzten ihre Reise auf dem Esel fort). Eine halbe Stunde später sahen (erblickten) zwei alte Frauen in Schwarz sie (wurden sie von . . . erblickt). Sie hielten den Bauern an, und die eine sagte mit schriller Stimme: „Sie sind [ein] grausam[er] [Mensch/Mann]. Ihr armer Esel muß Sie und Ihren Sohn tragen. Wie schändlich (schmachvoll/unwürdig), ein hilfloses Tier so zu behandeln!" Da erkannte der Bauer, daß es unmöglich war, es allen recht zu machen (sich nach jedermanns Rat zu richten/jedermanns Rat anzunehmen). Und so beschloß er, in Zukunft auf niemand(en) mehr zu hören. Er und sein Sohn ritten weiter [bis] zu der Stadt und stiegen erst [von dem Esel] ab, als sie den Marktplatz erreichten (erreicht hatten).

16. Ein kluger Arzt

Ein reicher Freund von mir (Mein reicher Freund) pflegte stundenlang in einem Sessel zu sitzen und zu rauchen oder aus dem Fenster zu schauen. Er aß und trank zuviel, sogar, wenn er weder hungrig noch durstig war (Hunger noch Durst hatte); und er fand (und so fand er) das Leben langweilig. Abends fühlte er sich so müde, als ob er den ganzen Tag schwere Steine geladen (verladen/aufgeladen) und Holz gehackt hätte (als hätte er . . . geladen und . . . gehackt). Er wurde immer fetter und müder, und schließlich glaubte er, er sei krank. Er schluckte Medizin (Arznei(en)), Puder und Pillen, aber sie halfen überhaupt nicht.

Schließlich hörte er von einem Arzt (Doktor), der [sehr] weit weg wohnte. Dieser Arzt war angeblich sehr klug (Man sagte von diesem Doktor, daß er . . . sei) und in der Lage, die meisten [seiner] Patienten zu heilen (und konnte . . . heilen). Mein Freund schrieb ihm einen langen Brief, in dem er seine Krankheit beschrieb, und kurz darauf erhielt er [die] folgende Antwort: „Natürlich müssen Sie mich aufsuchen (zu mir kommen), aber unter keinen Umständen dürfen Sie hierher *fahren*. Sie müssen laufen. Zweitens dürfen Sie nicht mehr als einen Teller [voll] Gemüse zweimal am (pro) Tag essen (nicht mehr als zwei Teller . . . am Tag . . .). Zum Mittagessen können (dürfen) Sie auch (zusätzlich) eine gegrillte (gebratene) Wurst essen und abends ein Ei."

Der Patient ging an jenem Morgen los (brach . . . auf), und [er] fühlte sich sehr traurig (und er war sehr mißmutig) und ging sehr langsam. Am dritten Tag ging er [schon] schneller und fühlte sich fröhlicher (beschwingter), und als er am achtzehnten Tag(e) schließlich bei dem Arzt ankam (eintraf), sagte er: „Herr Doktor, ich fühle mich [wieder] besser. Ich bin wieder gesund!"

17. Der Bahnübergang

Ist es Ihnen [auch] schon aufgefallen, daß, wenn man auf dem Lande wandert (wandern geht/spazieren geht), man oft an einem Bahnübergang warten muß, weil die Schranke geschlossen (herunter[gedreht]) ist? Dann ist man [einfach] gezwungen, dort stehenzubleiben (anzuhalten). (Dann muß man da einfach so stehenbleiben/Da kann man dann nichts anderes tun als stehenbleiben.) Sie sind (Man ist . . .) dann ärgerlich (verärgert), weil Sie anhalten müssen, und nicht weitergehen können. Natürlich kann das manchmal [auch] recht (ganz) angenehm sein, besonders, wenn es ein heißer Tag (heiß) ist; denn das gibt Ihnen die Gelegenheit, sich ein bißchen auszuruhen. Allmählich kommen [auch] andere Leute an (treffen . . . ein), und sie müssen auch anhalten. Zuerst fährt ein kleiner, gelber Sportwagen vor (kommt/fährt . . . heran/auf) (zuerst hält . . . an), dann ein Radfahrer und dann noch ein Wagen, ein großer, grauer. Ein leuchtend roter Traktor (Trecker) kommt [an] (trifft ein), und der Landarbeiter (Knecht) steckt sich seine Pfeife an und lächelt auf die anderen Fahrer herunter. Ihm folgt ein (. . . herunter, gefolgt von . . .) Milchlastwagen, und hinter ihm kann man ein Motorrad hören. Ein paar mehr (Einige weitere) Fußgänger schlendern (spazieren) [bis] an die Schranke heran (zur Schranke heran) — noch zwei Landarbeiter (Knechte), ein Dorfbewohner, eine Gruppe [von] Jungen, die wandern (auf einer Wandertour sind/am Wandern sind). Sie alle müssen warten. Man kann sie reden und lachen hören (hören, wie sie . . .). Der Fahrer des Sportwagens zündet (steckt) sich eine Zigarette an. Schließlich kommt der Zug [an]. Zuerst die Lokomotive und dann die Wagen. Einige Reisende (Fahrgäste) winken, und einige von uns winken zurück.

Jetzt (Nun/Dann) ist der Zug weg (vorbei [gefahren]). Die Schranke wird hochgedreht (hochgekurbelt), und wir sind alle froh, daß wir [wieder] weitergehen oder wieder losfahren (weiterfahren) können. Die Autos beginnen sich in Bewegung zu setzen, der Traktor fährt an uns vorbei (vorüber), dann der Lastwagen und dann das Motorrad. Wir Fußgänger gehen wieder los (weiter) (machen uns wieder auf den Weg), die Landarbeiter gehen in die Felder (biegen in die Felder ab), und die Jungen wandern weiter. Der Bahnübergang ist (liegt) hinter uns — so einsam und verlassen wie vorher.

18. Die Titelseite einer Zeitung

Normalerweise (Gewöhnlich) sind drei Photos (Bilder) auf der ersten Seite (Titelblatt/Titelseite) dieser Zeitung. Das große Photo ist über der Schlagzeile. Ein(e)s der beiden anderen Photos ist (befindet sich) etwa (ungefähr) in der Mitte der Seite, und das andere ist im (auf dem) unteren Teil der Seite unter den (dem) Auslandsnachrichten(teil) (den Auslandsberichten). Das Photo über der Schlagzeile ist normalerweise (gewöhnlich) sehr groß. Es hat eine Bildunterschrift (einen Bildtext) in Rot, der zum Beispiel lautet: „Beste Weizenernte in der DDR überhaupt". Das Photo steht oft in direktem Zusammenhang (hängt oft direkt mit . . . zusammen) mit der Schlagzeile. Wenn landwirtschaftliche oder industrielle (betriebliche) Probleme (Fragen) besprochen werden, dann zeigt das Photo normalerweise Fabrikarbeiter oder Landarbeiter (landwirtschaftliche Arbeiter), die (auf) einen (einem) Mähdrescher fahren. Wenn der Leitartikel über Politiker ist (von Politikern handelt), dann zeigt das Photo sie normalerweise beim Händeschütteln oder beim Austausch(en) eines Bruderkusses (zeigt das Photo normalerweise, wie sie sich die Hände schütteln oder einen Bruderkuß austauschen). Der Text unter den Photos (Der Bildtext) gibt an, wo das Photo aufgenommen wurde, und wer auf dem Photo zu sehen ist.

11

19. Reaktion auf einen Hilferuf

Sie kam ganz außer Atem unten an. Eine Menschenmenge hatte sich um das Polizeiauto versammelt (gesammelt). Die Polizisten waren ausgestiegen, und die Frau lief (rannte) auf sie zu. Dann folgte die Menge. Immer wenn die Polizei versuchte, sie weiterzuwinken (sie zum Weitergehen zu veranlassen), erklärten alle, daß sie auch (ebenfalls) dort wohnten. Einige [von ihnen] gingen bis zum obersten Stock (zur obersten Etage) mit (folgten bis zum obersten Stock nach). Von der Treppe aus beobachteten sie die Polizisten (schauten sie den Polizisten zu). Die Klingel schien nicht in Ordnung (kaputt/außer Betrieb) zu sein, und nachdem die Polizisten vergeblich geklopft hatten, brachen sie die Tür auf. Sie arbeiteten schnell und mit sicherer Hand (mit einer Sicherheit), von der jeder Einbrecher lernen könnte (konnte). Sogar im Wohnungsflur, dessen Fenster auf den (Hinter)hof (hinaus)zeigten (zum . . . zeigten), zögerten sie keine Sekunde (keinen Moment). Zwei [von ihnen] zogen die Stiefel aus und krochen (schlichen) um die Ecke. In der Zwischenzeit war es dunkel geworden. Sie stießen gegen (an) einen Kleiderständer; dann bemerkten sie den Lichtschimmer (Lichtstrahl) am Ende des schmalen Flurs (Ganges) und gingen auf ihn zu. Die Frau stahl sich (schlich [sich]) hinter ihnen her.

Text of the original passage on which the adaptation is based:

Sie kam atemlos unten an. Eine Menschenmenge hatte sich um den Polizeiwagen gesammelt. Die Polizisten waren abgesprungen, und die Menge kam hinter ihnen und der Frau her. Sobald man die Leute zu verscheuchen suchte, erklärten sie einstimmig, in diesem Haus zu wohnen. Einige davon kamen bis zum letzten Stock mit. Von den Stufen beobachteten sie, wie die Männer, nachdem ihr Klopfen vergeblich blieb, und die Glocke allem Anschein nach nicht funktionierte, die Tür aufbrachen. Sie arbeiteten schnell und mit einer Sicherheit, von der jeder Einbrecher lernen konnte. Auch in dem Vorraum, dessen Fenster auf den Hof sahen, zögerten sie nicht eine Sekunde. Zwei von ihnen zogen die Stiefel aus und schlichen um die Ecke. Es war inzwischen finster geworden. Sie stießen an einen Kleiderständer, gewahrten den Lichtschein am Ende des schmalen Ganges und gingen ihm nach. Die Frau schlich hinter ihnen her.

20. Elternsorgen

Wir haben eine vierzehnjährige Tochter, und wir haben nach besten Kräften für sie gesorgt (für sie gesorgt, so gut wir nur konnten), wir haben sie ermutigt (dazu angehalten), ihren Interessen nachzugehen (zu folgen) und ihre [Freunde und] Freundinnen mitzubringen (mit nach Hause zu bringen). Wir haben sogar eine ihrer Freundinnen [mit] in Urlaub nach Spanien [mit] genommen. Sie hat immer alle Kleidung bekommen, die sie nötig hatte (brauchte), und konnte (durfte) sie meistens [auch] selber aussuchen (. . . hat

... aussuchen können). Wir haben ihr immer reichlich Taschengeld gegeben und haben uns bemüht (versucht), ihr dessen Wert (den Wert des Taschengeldes) bewußt zu machen. Sie durfte (konnte) ihr Taschengeld meistens (meistenteils/größtenteils) nach ihrem eigenen Belieben (wie sie es wollte/nach ihren eigenen Wünschen/nach ihren eigenen Vorstellungen) ausgeben. Wir haben immer großes Interesse an ihrem schulischen Leben gezeigt (gehabt) (. . . uns immer sehr für . . . interessiert) und [wir] sind zu Elternabenden und Schulveranstaltungen gegangen. Wenn wir sie zu hart bestraft haben, haben wir immer gesagt, daß es im Zorn geschehen (gewesen) sei (es war im Zorn), und wir haben uns immer entschuldigt (immer um Entschuldigung gebeten). Wir haben alles getan, um gerecht (fair) und aufgeschlossen (interessiert) zu sein, aber wir sind [auch] streng gewesen, wo (wenn) wir es für nötig hielten.

Leider haben wir einen verschlossenen (verschwiegenen/verstockten/empfindlichen), grollenden Teenager herangezogen (hervorgebracht/produziert), der uns unzählige (zahllose) Lügen erzählt (aufgetischt) hat, und der uns bestiehlt, wo es nur geht (und von uns stiehlt, was immer sie stehlen kann). Ich möchte [gern(e)] wissen, was wir falsch gemacht haben? (wo wir etwas falsch gemacht haben/Was haben wir nur [denn nur/denn bloß] falsch gemacht?)

21. Ein Unfall

Herr Brunner war den ganzen Tag [über] geschäftlich in Stuttgart gewesen und saß jetzt (nun) fluchend (schimpfend) in seinem Wagen (und saß jetzt in seinem Wagen und fluchte). Es hatte schon fast eine Dreiviertelstunde gedauert (Er hatte eine Dreiviertelstunde gebraucht), um von der Stadtmitte hierher zu gelangen (kommen), und jetzt war er in einer Autoschlange, die darauf wartete (und [er] wartete darauf), auf die Autobahn zu fahren (aufzufahren/zu kommen). Er wollte gerne zuhause sein (Er wünschte sich nach Hause), wo er sich entspannen könnte (konnte). Er konnte nicht umhin, an die Annehmlichkeit eines schönen, warmen Bades zu denken und wie sehr er etwas Warmes (Heißes) zu essen (ein warmes Essen) brauchte, und ein Glas guten Rotwein dazu, aber er hatte noch eine lange Fahrt vor sich. Es war ein nasser, dunkler Januarabend, und er merkte (stellte fest/(be)merkte), wie er von den Straßenlaternen über ihm, die sich auf der Straße widerspiegelten, und von dem grellen (blendenden) Scheinwerferlicht der Wagen (Autos) hinter ihm Kopfweh bekam (und er merkte, wie er Kopfweh bekam von den sich auf der Straße widerspiegelnden [Straßen]laternen über ihm und von den blendenden Autoscheinwerfern hinter ihm). Er dachte dauernd (immer wieder) an die (An)spannungen (den Streß) des Tages, aber er war froh, als (daß) er schließlich auf die Autobahn selbst (auf die eigentliche Autobahn) (auf)fahren konnte. Autos, Lastwagen und Busse sausten mit großer Geschwindigkeit an ihm vorbei (vorüber) und besprühten dabei seine

Windschutzscheibe, und, was noch schlimmer war, es begann (und zu allem Unglück begann es), noch heftiger (stärker) zu regnen. Durch den Regen und den Nebel gewahrte er plötzlich die vielen kleinen roten Lichter der vor ihm scharf bremsenden und [an]haltenden Wagen (wurde er ... gewahr). Tief in Gedanken (In Gedanken versunken), gelang es ihm nur mit Mühe, noch rechtzeitig zu bremsen (konnte er gerade/eben noch rechtzeitig bremsen). Er erkannte (sah), daß ein Unfall passiert war (daß es einen Unfall gegeben hatte). „Gott sei dank (Gottseidank)", sagte er still zu sich selbst. „Das hätte ich [auch] sein können!" („Das hätte *ich* ja auch sein können!)"

22. Ein (Kreuz)verhör

„Sie sagen, Sie hätten gelesen?"
„Ja(wohl), das stimmt (ist richtig)."
„Was haben Sie gelesen?"
„Aber das habe ich Ihnen doch schon gesagt (erzählt)!"
„Ja, aber ich will (möchte) Ihre Geschichte noch einmal hören."
„Einen Roman." Er zeigte vage (undeutlich/unbestimmt) auf das große Arbeitszimmer hinter ihm (sich).
„Was für ein (Welcher) Roman war das (es)?"
„Ich kann mich nicht [mehr] genau erinnern. Ich habe ein sehr schlechtes Gedächtnis." Der Inspektor hob die Augenbrauen. Nach einer kurzen Pause fuhr er fort.
„Das macht nichts. (Das ist nicht wichtig.) Und Sie haben ein Geräusch gehört."
„Ja, im Garten. Ich bin schnell aufgestanden und habe das Fenster geöffnet" — er zeigte darauf (auf das Fenster) — „und ich bin hinausgegangen, um nachzusehen."
„Haben Sie jemanden gesehen?"
„Ja, einen Mann, der über die Mauer kletterte."
„Können Sie ihn beschreiben?"
„Er war groß, ziemlich schlank, und breitschultrig. Er trug einen marineblauen Pullover und Jeans."
„Was für eine Haarfarbe hatte er? (Was für eine Farbe hatte sein Haar?)"
„Das habe ich nicht bemerkt. (Das ist mir nicht aufgefallen.) Es war [ja] dunkel."
„[Es ist] seltsam (komisch), daß Sie seine Kleidung erkennen (sehen) konnten (daß es Ihnen gelang, seine ... zu erkennen)", fügte der Inspektor hinzu. „Sogar die Farbe seines Pullovers."
Der Mann schwieg, wurde ein bißchen rot und leerte mit einem Schluck das Whiskyglas, das er dann auf das Silbertablett (silberne Tablett) neben sich stellte.

14

„Wo war Ihre Frau?"
„Sie war ins Kino gegangen, wie ich Ihnen schon erklärt hatte."
„Ohne Sie?"
„Ja, warum nicht? Ich hatte den Film schon gesehen, und sie wollte den Film auch sehen. Es ist nämlich ein sehr guter Film. — Also (Wissen Sie/Hören Sie mal), ich habe Ihre Fragen langsam satt (habe langsam genug von . . .)."
„Und ich", sagte der Inspektor, und er [er]hob zum ersten Mal seine Stimme, „ich will (möchte), daß Sie [mir] die Wahrheit sagen (erzählen) (ich will die Wahrheit von Ihnen hören)."

23. Eine (Flugzeug)entführung (1)

Plötzlich stand ein finster aussehender (dreinschauender) Mann auf und sagte: „Wir haben das Kommando übernommen!" Wenig später (Bald/Kurz danach) nahmen vier Terroristen uns alles Handgepäck, alle Fotoapparate, Pässe und scharfe Gegenstände ab. Wir wurden gezwungen (Sie zwangen uns), uns umzusetzen. Frauen und Kinder waren (kamen nach/saßen) hinten, ältere Männer mußten in der Mitte Platz nehmen (sich in die Mitte setzen), und die jüngeren, kräftigeren [Männer] wurden mit nach vorne genommen, um [ganz] nahe bei den Terroristen zu sein.
Wir durften nie miteinander sprechen (reden/uns nie unterhalten). Wenn wir es doch taten (Sonst), bedrohte uns der Anführer mit einer Pistole oder [er] schlug uns. Alle Jalousien waren heruntergezogen (Die Jalousien waren alle . . .), so daß wir nie wußten, wo wir waren, oder ob es Tag oder Nacht war. Wir bekamen sehr wenig zu essen, wir durften uns nicht waschen, und am Ende des ersten Tages waren die Bedingungen (war die Lage/Situation) beinahe unerträglich.

24. Eine (Flugzeug)entführung (2)

Nach zwei Stunden landeten wir irgendwo, und wir verbrachten (standen) den ganzen (gesamten) nächsten Tag in der sengenden (glühenden) Hitze (Gluthitze). Plötzlich befahl man (befahlen sie) den Frauen, ihre Strumpfhosen auszuziehen. Die Terroristen schnitten sie in Stücke (zerschnitten sie) und benutzten sie, um uns die Hände auf dem Rücken zu fesseln (auf den Rücken zu binden). Nachdem sie unsere Sicherheitsgurte fest angezogen hatten, legten sie Dynamitstangen in den (Mittel)gang und holten Alkohol und Parfüm. Sie gossen den Alkohol entlang des (Mittel)ganges und auf die Sitze, und das Parfüm [gossen sie] überall ins Haar und auf die Kleidung. Sie drohten, uns in die Luft zu sprengen, wenn die Regierung ihre Forderungen nicht erfüll(t)e (erfüllen würde/nachkomme/nachkäme . . .). Aber plötzlich hob das Flugzeug ohne ersichtlichen Grund wieder ab, und dann landeten wir wieder (und wieder landeten wir). Nach Stunden endlosen Wartens (Nachdem wir endlos/endlose Stunden gewartet hatten), hörten wir plötzlich Geräusche (Lärm) an den Flugzeugtüren. Wir dachten, das sei (wäre) das

15

Ende (es sei aus), und daß die Terroristen uns [jetzt] tatsächlich in die Luft sprengen würden. Aber (Doch) stattdessen schrie (ertönte) eine Stimme: „Köpfe 'runter!" Schüsse fielen (Es wurde geschossen), und plötzlich war alles vorbei. Schließlich verließen wir das Flugzeug über die (auf den) Notrutschen. Es gab unbeschreibliche Szenen. (Unbeschreibliche Szenen spielten sich ab.) Wir dankten den Männern, die uns befreit hatten (unseren Befreiern), und weinten vor Glück.

25. Kein Benzin mehr

Janet und Miguel sahen (schauten) sich an. „Was machen wir jetzt?" („Was sollen wir jetzt tun?"), fragte Janet. „Ich weiß [es] nicht", erwiderte (antwortete) Miguel. „Es ist zu weit, um zum Dorf zurückzulaufen (-gehen), und bald ist es dunkel (wird es dunkel [sein]). Das (es) ist alles meine Schuld; ich hätte das Benzin (den Benzinstand) [über]prüfen sollen, ehe wir heute nachmittag Lugo verließen (verlassen haben). Es tut mir wirklich leid." „Na ja (Nun [ja])", sagte Janet, „jetzt ist es zu spät, um sich darüber Sorgen zu machen. Wir müssen versuchen (werden [wohl] versuchen müssen), im Auto zu übernachten (schlafen)."

Nur zehn Minuten später jedoch sahen sie Lichter in der Ferne und hörten das (die) Motorengeräusch(e) eines schweren Lastwagens. Miguel winkte dem Fahrer [zu], und (d)er hielt an. Sie erklärten was los war (was für Schwierigkeiten/ein Problem sie hatten), und (d)er konnte ihr Problem schnell lösen (beseitigen/ihnen schnell helfen). „Wir danken Ihnen sehr (Wir sind Ihnen sehr dankbar)", sagte Janet. „Ohne Ihre Hilfe hätten wir die ganze Nacht hier in diesem Wald verbringen (bleiben) müssen, und das wäre äußerst unangenehm (ungemütlich) gewesen."

26. Die Entscheidung

Es war ein kalter, regnerischer Abend, und seit drei Stunden ging Snyder die Rheinpromenade auf und ab (und . . . war Snyder . . . auf und ab gegangen). Wieviel länger (Wielange) würde er noch warten müssen? Jenseits der Gärten konnte er (Büro)angestellte sehen (erkennen), die fröhlich [miteinander] schwatzten (plauderten) (konnte er fröhlich schwatzende Büroangestellte sehen). Zuhause in Clarksville würde Daisy-Jane jetzt (gerade) wie gewöhnlich (wie immer) in dem Blumenladen arbeiten. Warum hatte er sich eigentlich (nur/bloß) bereiterklärt (zugestimmt/zugesagt), diesen Job (diese Aufgabe/diesen Auftrag) zu übernehmen, fragte er sich? Inzwischen war ein Mann in einem braunen (Über)mantel auf die Imbißstube zugegangen (hatte sich . . . der Imbißstube genähert).

Snyder sah 8zu] (beobachtete), wie der Mann eine Tasse Kaffee kaufte und eine holländische Zeitung entfaltete (aufschlug). „Das ist also (Also das ist) Jaroszewicz", dachte Snyder, und seine Finger (seine Hand) umschlossen (schlossen sich um) den kleinen (Brief)umschlag in seiner Jackentasche. Plötzlich fühlte er sich müde und unruhig. Lohnte sich dieses alles (all das) überhaupt (eigentlich) für dreißigtausend Dollar(s)? (War dieses alles es wirklich wert [zu tun], für dreißigtausend Dollars? War all dies wirklich dreißigtausend Dollar wert?). Er ging langsam auf Jaroszewicz zu und drehte (bog) dann ab (um) in Richtung Stadtmitte (bog dann in Richtung ... ab). Der Wind trug die gelben Papierstückchen(-fetzen) weit hinaus über (auf) den Rhein.

27. Verhandlungen

„Andererseits hätten sie nicht wissen können, daß wir sie wirklich kaufen wollten", sagte Mary. „Das stimmt (ist wahr)", erwiderte James, „aber meinst du (meinen Sie) nicht, daß jemand ihnen vielleicht erzählt haben könnte, wie wertvoll solche Sachen (Dinge(r)) sind, wenn man sie irgendwie in die Schweiz bringen könnte (... wenn sie irgendwie ... gebracht werden könnten)?" „Kaum, es sei denn, Michael hätte (hat) ihnen ein Telegramm von Toronto aus (von Toronto) geschickt." „Aber er wird doch frühestens am siebzehnten in Kanada erwartet (... man erwartet ihn ...)." „Vielleicht hat er die Insel früher, als wir gedacht haben (dachten), verlassen."

Einige (Mehrere) Sekunden [lang] schwieg James (blieb James still), dann schaute er seiner Kollegin direkt in die Augen und sagte sehr leise: „Wie hätte Michael abreisen können, ohne von mindestens einem unserer dortigen Mitarbeiter (einem unserer Leute dort) bemerkt zu werden?" Mary war offensichtlich durch diese (von dieser) Frage überrascht (Diese Frage ...). „Ja, Gott (Gott, ja/Ja, nun/Um Himmels willen), wie soll ich das denn wissen!?" erwiderte sie nach einigem Zögern. „Das einzige, was wir jetzt tun können, ist, zu Kröger zurückzugehen und ihm mehr Geld zu bieten ([an]zubieten)."

28. Die Provinz

Die Nordgrenze des Königreiches wird durch (von) ein(em) hohes (hohen) Gebirge (eine(r) hohe(n) Bergkette) gebildet, dessen (deren) Gipfel (Höhen) das ganze Jahr hindurch schneebedeckt sind (bleiben). Durch den schmalen (engen) Golub-Paß am Westende des Gebirges (der Kette) verläuft (geht) die Haupteisenbahnlinie, die die Provinzhauptstadt mit Wien verbindet. Die Winter in diesem Gebiet (dieser Gegend) sind so mild, daß man an den Südhängen Tabak anbauen kann. In den letzten Jahren ist auch der Tourismus (zu) eine(r) wichtige Einkommensquelle geworden.

Viele deutsche und österreichische Touristen sind [schon] durch das angenehme Klima, die reizende Landschaft (Szenerie) und den (die) besonders günstigen Wechselkurs (Umtauschsätze) angelockt worden.

17

Darüberhinaus ist die Provinz berühmt für (wegen) ihre(r) malerischen Kirchen und farbenprächtigen Nationaltrachten. Es sollte auch erwähnt werden, daß in den größeren Städten Deutsch noch immer von vielen älteren Einwohnern (Bürgern) gesprochen wird, obwohl es in den Schulen seit der Unabhängigkeit des Königreiches vor mehr als dreißig Jahren nicht mehr unterrichtet (gelehrt) wird (obwohl es in den Schulen nicht unterrichtet worden ist, seit das Königreich vor mehr als dreißig Jahren unabhängig wurde).

29. Paris in Trümmern (Das zerstörte Paris/Paris in Schutt und Asche)

Schließlich kamen wir an einen (zu einem) großen Platz, der von zerstörten Gebäuden umgeben (umstanden) war. Dort setzten wir uns auf einen flachen Stein, um das Fleisch und das harte Brot zu essen, das uns Hauptmann Curtis gegeben hatte. Danach ruhten wir uns aus. Nach einer Weile jedoch erhob sich Roger (stand . . . auf) und ging (wanderte) langsam die Straße hinunter. Henry folgte ihm. Ich lag auf dem Rücken und starrte in den grauen Himmel und antwortete zuerst (zunächst) nicht, als sie mich riefen. Aber Roger rief [mich] noch einmal, und seine Stimme klang aufgeregt. Sie schienen etwas Interessantes gefunden zu haben. — Es war ein großes Loch mit Stufen (mit einer Treppe), die in die Dunkelheit hinunterführte(n) (hinabführte(n)). Neben dem Loch war ein Schild mit dem Wort METRO (auf dem . . . stand). Roger sagte: „Die Treppe . . . sie ist so breit. Zehn Leute könnten auf ihr nebeneinander marschieren. Wohin führt (geht) sie?"

Ich sagte: „Das ist unwichtig (Das spielt [gar] keine Rolle!/Das interessiert doch gar nicht!). Wir sollten machen, daß wir weiterkommen. (Wir sollten lieber sehen, daß wir weiterkommen/[lieber] weitergehen)."

„Wenn ich bloß (nur) sehen könnte . . ." murmelte Roger. „Warum (Wozu) ist sowas (das) gebaut worden?"

„Das weiß ich nicht (Ich weiß es nicht), und das ist mir auch egal! Du (Ihr) würdest (würdet) da unten [doch] sowieso nichts sehen!"

„Wir haben [doch] Kerzen . . ." erwiderte Henry.

„Wir haben [aber] keine Zeit", unterbrach ich [ihn] ärgerlich. „Wir wollen hier [doch] nicht übernachten (die Nacht verbringen)."

„Du brauchst [ja] nicht mitzukommen", erwiderte Henry. „Du kannst [ja] allein(e) hier bleiben, wenn du willst."

30. Alte Freunde

Meridew und ich waren schon immer sehr gute (die besten) Freunde. Wir gingen auf dieselbe Schule und dieselbe Universität und waren eine Zeit lang unzertrennlich. Nach dem Krieg sahen wir uns nicht mehr sehr häufig (haben wir uns nicht . . . gesehen), weil wir in verschiedenen Teilen des Landes wohnten (lebten), aber wir trafen uns von Zeit zu Zeit in London und schrieben uns gelegentlich [Briefe]. Vor zwei Jahren schrieb er mir, daß er heirate(te) (heiraten wolle). Er war (sei) gerade vierzig (geworden), und das Mädchen war (sei) fünfzehn Jahre jünger, und er war (sei) sehr (schrecklich) verliebt. Diese Nachricht war für mich eine große Überraschung (... kam für mich als große Überraschung). Natürlich gratulierte ich ihm und schickte ihm ein Hochzeitsgeschenk und hoffte, daß er sehr glücklich sein würde. Abgesehen von dem Altersunterschied schien die Ehe (Heirat) durchaus in Ordnung (zufriedenstellend, harmonisch) zu sein. Er sagte (schrieb) mir, daß er sie bei (auf) einer Teestunde (einem Teeabend) in Norfolk kennengelernt (getroffen) habe, und daß sie [doch] aus ihrem Heimatdorf tatsächlich nie herausgekommen sei. Ihr Vater war Akademiker und äußerst arm. Er starb kurz nach ihrer Heirat. Zunächst sah ich sie ungefähr ein Jahr lang überhaupt nicht (gar nicht). (Während des ersten Jahres etwa habe ich sie überhaupt nicht gesehen/zu Gesicht bekommen). Sie zogen nach Liverpool, wo Meridew eine Stelle im Hafen hatte. Es muß für sie, die ja aus der Norfolker Landschaft kam (dem ländlichen Norfolk kam), eine große Umstellung gewesen sein (Für sie, die ja ...). Er schrieb mir manchmal [Briefe], und es waren [sogar] sehr, sehr glückliche Briefe. Aber dann begann er, sich ein wenig Sorgen um die Gesundheit seiner Frau zu machen. Sie schien ruhelos zu sein, und das Stadtleben paßte nicht zu ihr (bekam ihr nicht).

31. Die Verdächtige

Am nächsten Tag betrat eine der schönsten Frauen, die ich je gesehen habe, das Büro. Der Inspektor erhob sich.

„Sie wissen, wer ich bin", begann die Besucherin, sobald sie graziös (anmutig) in einen Stuhl gesunken war. „Mein Name steht auf der Karte da. Ich bin die Frau, die angeblich Mark Culledon umgebracht (ermordet) hat (die M.C. ermordet haben soll)." Der Inspektor sah verlegen aus.

„Sie sind erstaunt, mich zu sehen", fuhr die Frau fort — sie sprach Englisch mit leichtem ausländischem Akzent. „Während der beiden letzten Tage bin ich von Ihrer Polizei (Ihren Polizisten) überwacht worden. Ich hielt es für das Beste, von mir aus (von selbst/freiwillig) zu Ihnen zu kommen. Lassen Sie es mich gleich sagen, daß ich Mark Culledon nicht umgebracht habe. Es stimmt, daß er mich sehr schlecht behandelt hat, und ich hätte ihm [auch] gerne einen Denkzettel gegeben (verpaßt). Er war mit mir verlobt. Dann begegnete er der Tochter eines Grafen und dachte, daß sie eine bessere Frau für ihn abgeben würde als ich. Das Mädchen war sehr reich, und er hoffte, an ihr Geld zu kommen (heranzukommen). Als er mir das erzählte, tötete das meine Liebe zu ihm. Ich beschloß, ihn zu bestrafen (ihn das büßen zu lassen), aber ich hatte nicht (nie) vor, ihn zu ermorden."

Sie schien die Wahrheit zu sagen. Der Inspektor fragte sie, was sie am Mordnachmittag (am Nachmittag des Mordes) gemacht hätte.

19

„Sie meinen, wo ich in (während) der Zeit, wo Mark in einem Teeladen ermordet wurde, war (wo ich war, als . . .)?"

„Ja[wohl]."

„Ich bin spazierengegangen", erwiderte sie ruhig.

„Sind Sie irgend jemandem begegnet?"

„Nein", sagte sie. „Ich bin niemandem begegnet. Ich bin um drei Uhr nachmittags aus dem Haus(e) gegangen, und nach fünf zurückgekommen." Einige Augenblicke lang herrschte Stille (Schweigen/Ruhe) in dem Büro.

32. Fräulein Mayfields Ankunft

„Sie wollen (wünschen) ein Taxi [haben]?" („Taxi?") fragte der Kofferträger, wobei er Fräulein Mayfields Kofferberg in Augenschein nahm (musterte/betrachtete) (. . . und musterte . . .). „Wenn Sie nämlich eins wünschen (haben wollen), laufen (gehen) Sie am besten los (wäre es am besten, wenn Sie [schon] losliefen/losgingen) und besorgen eins (und eins besorgten). Ich komme [dann] mit dem Gepäck nach."

„Ich werde abgeholt, danke", erwiderte sie. Sie hatte den letzten Brief des Pfarrers in ihrer Handtasche.

Die Bahnhofstreppen in Selbury rochen stark nach Fisch und Rauch; aber draußen auf dem (Bahnhofs)vorplatz war die Luft frisch und rein (sauber). Es war einer jener Apriltage, die einen schönen Sommer zu versprechen schienen. Zwei Taxis fuhren gerade weg. Die Frau mit dem Baby, die mit Fräulein Mayfield im Abteil gegessen hatte (. . . mit . . . das Abteil geteilt hatte), wurde gerade begrüßt und in ein kleines Auto verfrachtet; seine frische grüne Farbe leuchtete hell. Die einzigen anderen Dinge auf dem Vorplatz waren ein drittes Taxi — ohne Fahrer — und zwei Hunde, die fröhlich einen Scheinkampf durchführten (die fröhlich so taten, als ob sie miteinander kämpften).

Der Gepäckträger öffnete die Tore (Gitter/Türen) des Gepäckaufzug(e)s und zerrte die Stücke, die Fräulein Mayfield gehörten, eins nach dem anderen (nach und nach) heraus. Er warf ihr einen Blick zu, der sehr unmißverständlich ausdrückte (sagte): „Soso! Abgeholt werden Sie!"

„Sie brauchen nicht zu warten", sagte Fräulein Mayfield und meinte das freundlich. Obwohl sie schon zwei Jahre in England gelebt hatte, verhielt sie sich (handelte sie) manchmal noch [so], als sei sie [noch] in Afrika, wo ein Gepäckträger, wenn ihm nicht das Gegenteil (nichts anderes/nichts Gegenteiliges) gesagt wurde, ewig weiterwarten würde (bis in die Ewigkeit warten würde). Der Gepäckträger schien gerade sagen zu wollen: „Warten!? Das wäre ja noch schöner!" — aber da sah er die Höhe des Trinkgelds, das sie ihm gab ([an]bot), besann sich eines besseren und stapfte ganz (recht) fröhlich weg.

20

33. Der verwundete General

Der braune Mercedes fuhr auf einen Parkplatz vor dem Restaurant (fuhr in ... ein), und General de Forge ging humpelnd voraus in den eleganten Raum, gefolgt von dem Hauptmann und den Fahrern. Als der französische General eintrat (hereinkam), die Mütze flach auf dem (den) Kopf (gedrückt), richteten sich alle Blicke (Augen) im Restaurant auf ihn, und die Gespräche (Stimmen) verstummten plötzlich. Mit einer Geste (Bewegung) wies er der Gruppe an (befahl er der Gruppe), einschließlich der einfachen Soldaten, sich an einen Tisch in der (die) Ecke des Raumes zu setzen (an einem Tisch ... Platz zu nehmen). Der General bestellte zuerst, dann die anderen in der Reihefolge ihres Dienstgrades. Das (Mittag)essen war ausgezeichnet, und de Forge aß mit gutem Appetit (griff tüchtig zu). Als der Hauptmann [die Rechnung] bezahlt hatte, führte der verwundete General die Gruppe zum Wagen zurück, und alle Blicke folgten ihm wieder neugierig. Sie fuhren den ganzen Nachmittag und weit in den Abend hinein. Mit jeder Minute, jedem Kilometer, wurde die Entfernung zwischen dem General und Frankreich, zwischen ihm und der Freiheit, größer (vergrößerte sich die Entfernung ...). Sie durchquerten den größten Teil Deutschlands und erreichten schließlich, nicht weit von der tschech[oslowak]ischen Grenze, Sachsen.

Die Sonne ging [gerade] unter, als sie durch ein langes Tal an einem Fluß entlang (neben einem Fluß) fuhren, und die riesigen Abendschatten der hohen Eichbäume warfen weite (lange) Schatten voraus. Auf beiden Seiten erhoben sich majestätisch(e) Berge. Kurz darauf bogen sie nach links in ein dicht-bewaldetes Gebiet ab und begannen steil bergauf zu fahren. Die Landschaft war felsig (steinig) geworden — grausam und verhängnisvoll.

34. Ein Café-Poet (Ein Kaffeestuben-Dichter)

Carlo stand auf und schob den Tisch weg. „Es hat keinen Zweck", sagte er, „er ist betrunken, ärgern wir uns nicht [mehr] mit ihm herum. Wir verschwenden [nur] unsere Zeit." Sie standen alle auf und wendeten (wandten) sich von mir ab, gereizt und achselzuckend.

Ich brauchte aber die hundertfünfzig Mark. Ich brauchte sie [sogar] dringend. Ich konnte sie nicht weggehen lassen. (Diese) widerliche(n) Kerle!

„Wartet", sagte ich, „wartet — gebt mir den Bleistift [da], ich schreibe euch die Gedichte [auf]." Sofort waren sie freundlich und hilfsbereit. Der Bleistift schwankte zwischen meinen zitternden Fingern [hin und her], die Wörter (ver)liefen schräg, irgendwie so, quer über die Seite (irgendwie schräg über die Seite). Der bärtige Bursche klopfte mir auf die Schulter. „So ist's recht", sagte er, „[du] bist ein braver Junge, das haben wir ja schon immer gewußt (wir wissen das)." Für sein Wohlwollen hatte ich nichts übrig. (Sein Wohlwollen war mir egal/Aus seinem Wohlwollen machte ich mir nichts.)

„Gebt mir das Geld", sagte ich. Sie gaben mir die beiden Scheine auf die Hand (händigten mir die beiden Scheine aus), rafften dann das Blatt Papier

hoch und drängten sich alle dicht zusammen, und ihre Augen suchten es ab (untersuchten/prüften es eifrig), [wobei] sie ihre Lippen bewegten, und sie sich begierig näher herandrängten, um die Worte noch einmal zu sehen, aus Furcht (weil sie befürchteten), ich hätte (irgend)etwas ausgelassen.
„Ist [da] alles drauf?"
„Ja, es ist alles [da] drauf."
Sie entfernten sich und gingen über die Straße zu dem Park; um mich kümmerten sie sich nicht mehr. Ich verlor ihre Rücken in der Menge [aus den Augen], und mir waren sie jetzt auch egal. Ich faltete die zwei Scheine sorgfältig und steckte (legte) sie zu dem Fünfmarkschein, der bisher zwischen mir und dem Hunger(tod) gestanden hatte. Ich ging zu meinem eigenen Tisch in der Ecke zurück. Hundertfünfzig Mark. Das war gar nicht so schlecht für drei Gedichte. Mein Verstand war jetzt [wieder] klarer, aber ich wollte [jetzt] gar nicht klar (bei klarem Verstand) sein. Ich rief den Ober heran und bestellte noch einen Cognac.

35. [Der] Streß der nahen Großstadt
(Die Belastung, in der Nähe einer Großstadt zu wohnen)

Zehn Jahre lang hatten Herr und Frau Curran [schon] in einer winzigen Wohnung in Edgware gelebt. Er arbeitete in einem Büro in der Londoner Stadtmitte. Fünf Tage in der Woche fuhr er in überfüllten U-Bahnen, kam todmüde nach Hause, sah nach dem Abendessen [noch] ein Stündchen fern und ging dann gleich ins (zu) Bett. Es war ein eintöniges (monotones) Leben, aber er hatte sich daran gewöhnt. Seine Frau jedoch nicht. Sie war auf dem Lande aufgewachsen, und sie haßte London. Einkaufen (gehen) bedeutete häufig Busfahrten und endloses Warten, ehe man [seine Waren] bezahlen und den Supermarkt verlassen konnte. Und, was am schlimmsten war, sie war den ganzen Tag alleine und hatte keine freundlichen Nachbarinnen, mit denen sie sich unterhalten konnte. Schließlich kam sie zu dem Entschluß, daß sie würden umziehen müssen. Ihr älterer Bruder wohnte noch in Gloucester. Sie hatte ihm geschrieben und ihn gefragt, ob es für ihren Mann möglich wäre (sein würde), dort eine annehmbare Stelle zu bekommen. Ja, hatte er geantwortet, sicher; es herrsche dauernder Mangel an Bürokräften (-personal), und er dächte, er könne für sie eine Kate (ein Landhaus) mit Garten finden, [und zwar] zu einem Preis, den sie sich leisten könnten (. . . zu einem annehmbaren Preis). Ob sie Lust hätten, ein paar Tage mit (bei) ihm zu verbringen, so daß (damit) sie sich umsehen könnten? Frau Curran zeigte ihrem Mann den Brief. Zu ihrem Erstaunen war er von der Idee [ganz] begeistert. „Ich bin froh, daß du das getan hast", sagte er, „ich weiß, wie schwierig es für dich gewesen ist, und ich bin sicher, es würde das allerbeste für uns sein (wäre . . . für uns)."

36. Ein anderes Leben (Eine andere Lebensweise)

Frau Elsie Schmidt wohnt in einem Vorort von Bochum. Wenn Sie hörten, wie sie sich mit ihren Nachbar(in)n(en) unterhält, oder wenn Sie sie beim Einkaufen im Supermarkt beobachteten (beobachten würden), würde Ihnen nie der Gedanke kommen, daß sie nicht als Deutsche (in Deutschland) geboren und aufgewachsen ist. In Wirklichkeit kommt sie jedoch aus Yorkshire. Vor zwölf Jahren arbeitete sie im Büro einer Textilfirma in der Nähe von Barnsley, und dort lernte sie einen netten jungen Deutschen kennen, der herübergeschickt worden war, um den Angestellten [der Firma] die Bedienung einiger neuer Maschinen beizubringen. Sie kümmerte sich um ihn (nahm ihn unter ihre Fittiche) und brachte ihre Eltern dazu, ihn sonntags zum Essen einzuladen. Schließlich wurde er zurückgerufen. Sie schrieben sich [gegenseitig] freundschaftliche (freundliche) Briefe, bis er ihr, sehr zu ihrer Verwunderung, schrieb, daß er jetzt einen recht verantwortungsvollen Posten und eine gemütliche Wohnung hätte, und ob sie ihn heiraten woll(t)e? Trotz der Versuche ihrer Mutter, ihr das (die Sache) auszureden, heiratete sie ihn [doch]; und sie hat es nie bereut. Zuerst war es durchaus nicht leicht. Sie mußte mit einer fremden Sprache kämpfen, und darüberhinaus waren Kochen, Küche und Haushaltsführung in Deutschland [doch] sehr (ganz) anders, als sie es gewöhnt war. Bis dann ihr erstes Kind kam, hatte sie sich jedoch [schon] völlig ihrem neuen Lebensstil (Art zu leben) angepaßt. Einige alte Bekannte von zuhause, die sie neulich besuchten, bemerkten, daß sie oft zögerte, ehe sie das passende (richtige) englische Wort fand (finden konnte). Die unvermeidliche Frage kam, ob es irgendetwas gäbe, was ihr dort drüben (dort in der Fremde) fehlte. Sie sagte sofort: „Ja, eine richtig(e) gute Tasse Tee!"

37. Eine zufällige Begenung

„Entschuldigen Sie, mein Fräulein, [aber] sitzt hier (dort/da) jemand?" Bettina schaute auf und sah (bemerkte) einen jungen Mann, der fragend auf sie hinunterblickte. „Dieser Platz ist [doch] noch frei, nicht wahr?" Er lächelte und deutete mit einem Nicken und einer Ecke seines vollen Tabletts auf den leeren Stuhl an ihrem Tisch. Sie lächelte zurück (erwiderte das Lächeln) und schüttelte den Kopf. „Nein, da sitzt niemand. Das ist alles mein Kram (sind alles meine Sachen). Ich räume es weg."

Der junge Mann ließ sein Tablett auf den Tisch gleiten und hob protestierend die Hand, als Bettina anfing, die Handtasche und die Päckchen (Pakete) aufzunehmen, die sie auf dem freien (leeren) Stuhl aufgestapelt hatte. „Nein, bitte bemühen Sie sich doch nicht!" sagte er. „Erlauben Sie bitte!? Lassen Sie mich das doch machen!" Er bückte sich und legte Bettinas Sachen vorsichtig (sorgfältig) auf den Fußboden (die Erde) zu (bei) ihren Füßen.

Dann ordnete er seine Teller, sein Besteck und seinen Kaffee auf dem Tisch an (dann arrangierte er . . .) und stellte (legte) sein Tablett auf einen nahen Servierwagen (einen Servierwagen in der Nähe).

Bettina schaute [heimlich] umher und stellte mit Erstaunen fest, daß das Restaurant kaum halb voll (gefüllt) war; eine ganze Anzahl (Reihe) von Tischen war noch völlig unbesetzt (unbelegt/frei).

Aber sie sagte nichts, und als dann der junge Mann zu essen begonnen hatte, hatte sie sich [schon] wieder völlig in das Leihbuch vertieft, das sie am Vorabend hätte zurückgeben sollen.

„Nicht schlecht hier, nicht?" hörte sie den jungen Mann sagen. „Ich esse hier oft [zu] Mittag. Sie auch?"

Bettina sprach normalerweise nicht mit fremden Männern, aber dieser [hier] schien wirklich sehr charmant und freundlich zu sein. Irgendwie wollte sie ihn nicht beleidigen oder [ihn] kränken.

„Ah, nein. Ich habe gerade erst eine Stelle in dieser Gegend angenommen."

38. Eine unwillkommene Störung

Emma rief: „Bill, wo bist du?" Ich konnte kaum so tun, als ob ich sie nicht gehört hätte, aber [ich] versuchte es dennoch (versuchte es aber dennoch). Alles (Das einzige), was ich [tun] wollte, war, den ganzen sonnigen Nachmittag im Liegestuhl herumzufaulenzen (zu faulenzen), ohne daß mich meine Schwester mit [auch nur] *einem* Anliegen (Wunsch) störte (stören würde). So naiv hätte ich natürlich nicht sein sollen! Sie kam in den 'Garten, und ich begann langsam und schwer zu atmen; schließlich konnte ich ihr ja keine Antwort geben, wenn ich schlief, oder etwa?

„Ach, *da* bist du!" sagte Emmas klare Stimme. „Hast du mich nicht rufen hören? Bill, sei so lieb (sei ein Schatz) und fahr doch [mal schnell] hinunter ins Dorf für mich, [bitte], ja!?"

„Wozu?" fragte ich barsch (unhöflich). Ich glaube, ich sollte erwähnen, daß sie mich, seit ich Dienstag vor einer Woche angekommen war, schon zu drei einsamen Fahrten in das verdammte (gräßliche/elende) Dorf überredet hatte.

„Oh, ich brauche diesmal nicht viel", sagte sie fröhlich. „Nur eine große Flasche billigen Rotwein. Ich mache (koche) [ein] Hähnchen zum Abendbrot, und ich hab' gerade festgestellt, ich habe keinen Wein mehr für die Sauce."

Ich öffnete verwurfsvoll ein Auge.

„Ich würde [ja] selber gehen", sagte sie charmant (liebenswürdig), „aber es ist jetzt Zeit, den Hund zu füttern und zu baden (aber der Hund muß jetzt gefüttert und gebadet werden)."

Ich öffnete das andere Auge und starrte sie kalt (grimmig) an (warf ihr einen unbarmherzigen Blick zu).

„Oh, ich würde [ja] später gehen", fügte sie hastig hinzu, „aber dann haben [ja] alle Läden [ja] zu. Und [außerdem], es ist sowieso nicht weit zum Supermarkt in der Hauptstraße, und du weißt [ja], es gibt dort einen riesigen [gebühren] freien Parkplatz hinter dem Haus."

Emma ließ die Wagenschlüssel auf meine(n) Brust(kasten) fallen und schoß (flitzte) wieder [zurück] in die Küche.

24

39. In einer Imbißstube

Gerade als er (Als er gerade . . .) bedient wurde, kamen die beiden kleinen Mädchen herein (traten . . . ein). Die eine setzte sich an einen Tisch, aber die zweite (andere), ältere (die älter war), stand an der Theke. Als er an seinen Platz zurückkehrte (-kam), bemerkte er, daß das jüngere Mädchen dort saß. Er war unsicher und schüchtern, aber er setzte sich dennoch hin, um [seinen] Tee zu trinken und einen Kuchen (ein Stück Kuchen) in vier Stücke zu schneiden. Das Mädchen sah ihn an, [und zwar] bis das ältere [Mädchen] mit zwei Tassen heißem Tee von der Theke zurückkam. Sie unterhielten sich und tranken [ihren Tee] und nahmen von dem jungen Mann, der fühlte (merkte), wie ihre kindliche Begeisterung langsam auch in ihn eindrang, keine Notiz (und beachteten den jungen Mann, . . . gar nicht). Er schaute sie von Zeit zu Zeit verstohlen (flüchtig) an (musterte sie . . . verstohlen) und hatte das Gefühl, als ob er nicht dasein sollte (als ob er fehl am Platze wäre). Wenn er sie aber tatsächlich anschaute, tat er das auf eine sanfte (gütige) Art. Das ältere Mädchen, die etwa zwölf Jahre alt war, hatte einen braunen Mantel an, der zu groß für sie war, und, obwohl sie sich die meiste Zeit unterhielt und lachte, bemerkte er ihr blasses Gesicht und ihre großen runden Augen (fielen ihm ihr . . . auf). Er hätte sie schön (hübsch) gefunden, wenn er nicht jene ungezwungene Fröhlichkeit entdeckt hätte, die oft große Armut verriet. Das kleinere Mädchen war nicht so (weniger) lebhaft und lächelte nur, wenn sie kurz ihrer Schwester antwortete. Sie trank ihren Tee und wärmte sich [dabei] gleichzeitig die Hände, ohne die Tasse ein einziges Mal (auch nur einmal) abzustellen, bis sie sie geleert hatte. Ihre dünnen, roten Finger umschlossen (faßten) fest die Tasse, als sie in die Teeblätter starrte. Allmählich verstummte das Gespräch zwischen ihnen, und sie waren still.

40. Das alte Haus

Herr Klein hatte [schon] immer ein großes Haus auf dem Lande (Landhaus) kaufen wollen, und jetzt hatte er dazu die Gelegenheit; denn ein entfernter Verwandter war gestorben und hatte ihm eine Menge (viel) Geld vermacht (hinterlassen/vererbt). Einer seiner Kollegen hatte ihm ein Haus empfohlen, das etwa 25 km von dem Kreisstädtchen (der Kreisstadt/dem Marktflecken), wo er als Rechtsanwalt arbeitete, entfernt lag (war). Eines Tages fuhr er mit dem Auto dorthin. Das Haus war vernachlässigt worden, und es sah unheimlich und abstoßend aus; eine baufällige Garage stand an der einen Seite [des Hauses]. Bei näherem Hinsehen erwiesen sich die meisten Fehler [nur] als leicht, und nach reiflicher Überlegung entschloß er sich zum Kauf (es zu kaufen). Er ließ alle notwendigen Reparaturen durchführen, und war bald begeistert (sehr angetan) von der ganzen Sache. Aber als er [dann] schließlich einzog, kamen ihm doch Zweifel. Nachts hörte er alle möglichen seltsamen Geräusche, und die Geschäftsleute des Ortes weigerten sich, Waren zu liefern (anzuliefern). Einmal sah er eine geheimnisvolle (mysteriöse) weiße Gestalt, die allem Anschein nach glatt durch eine Wand ging. Er konnte sich nur schwer der Schlußfolgerung entziehen, daß er das Haus mit einem Geist teilte.

41. Die Entlassung

Heinrich war ein ehrgeiziger junger Mann, der vor einem halben Jahr eine Stelle in einem Architektenbüro angetreten hatte. Die Stelle bot gute Aussichten auf Beförderung, und seine Zukunft schien gesichert zu sein. Jetzt war er entlassen worden, und alle seine Pläne waren in die Brüche gegangen. Es wäre alles in Ordnung (alles bestens) gewesen, wenn er mit seinem direkten (unmittelbaren) Vorgesetzten hätte auskommen können. Aber (d)er (der letztere/letzterer) war ein unangenehmer Mensch (Mann), der dauernd Streit suchte. Heinrich konnte ihn überhaupt nicht verstehen. Er ließ sich zu oft von diesem Mann provozieren, und gestern hatte er im Büro eine furchtbare Szene gemacht, als (gerade) ein wichtiger Kunde (Klient) da (anwesend) war (in Anwesenheit eines . . .). Ihnen war nichts anderes übriggeblieben, als ihn zu entlassen — das sah Heinrich jetzt ein. Er räumte (sammelte) seine Sachen zusammen und verließ niedergeschlagen das eindrucksvolle (imponierende) Natursteingebäude (Backsteingebäude). Er betrat (ging in) das erste Café, an dem er vorbeikam, und bestellte eine Tasse schwarzen Kaffee und ein Stück Kuchen. Er brauchte Zeit zum Nachdenken. Wenn er [doch] nur seine Beherrschung nicht verloren hätte! Aber jetzt war es zu spät zur (für) Reue!

42. Start ins Arbeitsleben (Arbeitsbeginn)

Henry war gerade siebzehn, als er in dem kleinen Büro zu arbeiten begann. Es befand sich (war) dort bereits ein Mädchen — sie war sogar jünger als er — das (die) sagte, sie sei die Stenotypistin (das Schreibfräulein).

Die ersten paar Tage (Während . . .) kam der Chef, Mr. Smith, pünktlich um 9.30 Uhr. Er diktierte dem Mädchen eine Menge Briefe, und zwischendurch erklärte er Henry verschiedene kleine Aufgaben, um die er sich sofort kümmern konnte (die er sofort erledigen konnte).

Henry fand es recht interessant, obwohl es ihm — nach all den Fächern, die er auf der Schule gehabt (gelernt) hatte — das Gefühl gab, daß er immer noch ein [kleines] Kind war und wieder ganz von vorne anfangen mußte.

Bald jedoch begann der Chef, erst gegen vier Uhr nachmittags ins Büro zu kommen, und oft tauchte er überhaupt nicht auf (kam er . . . nicht). Gelegentlich rief jemand an und fragte etwas (stellte eine Frage). Henry hatte keine Ahnung, was er antworten sollte; ihm blieb nur übrig (das einzige, was er tun konnte, war) zu sagen, daß Mr. Smith nicht da war (sei) und daß er ihm einen Zettel (eine Nachricht) auf den Schreibtisch legen würde.

Dann tauchte eines Tages ein älterer, gutgekleideter Herr auf, gab seinen Namen an — Henry konnte sich nachher nicht mehr an ihn erinnern — und zeigte ihm den Brief eines Rechtsanwalts, der Mr. Smith anwies, sofort die gesamten Geschäftspapiere eines bestimmten Klienten auszuhändigen. Nach langem Suchen fand Henry den richtigen (Kartei)kasten, verschnürte ihn (das richtige Aktenbündel, verschnürte es), und ließ ihn den Mann mitnehmen (gab ihn dem Mann mit). Zu seinem Erstaunen war der Chef sehr ärgerlich (wütend/verärgert), als er davon hörte.

43. Besuch bei einem alten Bekannten (Freund)

Da John kein Auto hatte, konnte er nur mit dem Bus nach Longford gelangen. Jetzt war er gerade am unteren Ende einer engen Straße mit kleinen, altmodischen Läden ausgestiegen. Obwohl es Sonnabendmorgen war, waren nur wenige Leute unterwegs. Er ging [immer] geradeaus. Ja, richtig, da rechts (rechter Hand) war ja [auch] der Marktplatz, und bald hatte er [auch] die Nummer Sieben gefunden. Er brauchte gar nicht [erst] zu klingeln (läuten); sein alter Bekannter (Freund) William, der ihn durchs Fenster gesehen hatte, war schon an der Tür. William sagte: „Woher um alles in der Welt wissen Sie (weißt du) denn, daß ich hier draußen wohne? (Wie . . . haben Sie herausgefunden, daß . . ./Woher wissen *Sie* denn, daß ich hier wohne!?)" „Durch puren Zufall" ([Das war] reiner Zufall), erwiderte der andere. „Ich habe Ihre Schwester vor kurzem auf einer Party (Gesellschaft) getroffen, und sie hat mir Ihre Adresse gegeben. Ich wußte daß Sie schon immer der Hast und dem Lärm Londons entfliehen wollten. Sie hatte allerdings das Gefühl, als ob (daß) Sie sich hier ziemlich einsam fühl(t)en, und ich dachte, ich schaue mal bei Ihnen vorbei (und da dachte ich, ich . . .)." „Ich freue mich, daß Sie das getan haben (Das freut mich aber!)", sagte William. „Manchmal langweile ich mich hier wirklich sehr. Die Einheimischen (Die Leute hier) scheinen an nichts anderem als an Kühen und Schweinen und Fußball interessiert zu sein. (. . . sind scheinbar nur an . . . interessiert)."

Er war einen Moment still (schwieg einen Moment). Dann fragte er: „Wollen (Sollen) wir hier [bei mir] Mittag essen? Das Hotel da drüben ist nicht besonders gut (taugt nicht viel). Ich kann Ihnen wenigstens Schinken mit Ei anbieten, der sehr viel besser schmeckt als [das], was Sie je in London bekommen (kriegen) [würden]." „Sehr gerne (Das ist mir sehr recht)", sagte John.

44. and 45.

No model answer can be provided owing to Joint Matriculation Board regulations.

46. Die Freuden des Landlebens (des ländlichen Lebens)

Es ist für mich immer ein freudiger Augenblick, wenn ich einer Großstadt mit ihren hastenden Menschenmengen und lauten Straßen den Rücken kehre und mich aufmache zu den kühlen Schatten der laubreichen Wälder, den grünen Heckenreihen und dem Schimmer der silbernen Flüsse in de Wiesen. Von London aus bringt einen (uns) ein kurzer Ritt (kommt man nach kurzem Ritt) zu den zauberhaften Landschaften im nördlichen Hügelland oder zu den Dörfern, die das obere Themsetal säumen. Drei bis vier Meilen außerhalb jeder [beliebigen] Großstadt (großen Stadt) kann man alles das genießen, was das typische Landleben ausmacht (... was am charakteristischsten für das Landleben ist).

Nichts kann beeindruckender sein als die Pracht englischer Parklandschaften. Ausgedehnte Rasenflächen breiten sich wie lebhaft-grüne Tücher aus, gelegentlich (hier und da) mit Gruppen riesiger Bäume [bestanden], die prächtige (reiche) Laubhaufen aufschichten. Die alte Kirche mit ihrem gotischen Turm, reichgeschmückt (reichverziert) mit Buntglasscheiben; das laubreiche Dorf mit seinen weißen Katen, seinem baumgeschützten Anger, auf dem die Vorväter des heutigen Geschlechts sich tummelten (sich getummelt haben); das Herrenhaus, [das] abseits auf [irgend]einem kleinen Landgut [steht] und dennoch schutzgebietend auf die Umgebung herabschaut; der Fußweg, der durch die freundlichen Felder und an den schattigen Heckenreihen entlangführt — man braucht nicht weit zu gehen, um diese typischen Eigenschaften der englischen Landschaft zu finden.

47. [Der] Gang in die Verbannung
   (Auf dem Weg in die Verbannung)

Schließlich war alles fertig (bereit). Frau Feeney saß in dem Stuhl am Fenster, vom Kummer (Schmerz) überwältigt. Michael ging verlegen im Zimmer herum, während Mary vor dem Spiegel stand und ihren Hut aufsetzte. Es war der erste, den sie je getragen hatte, aber er paßte (stand) ihr wunderbar. Sie hatte ihn von der (ihrer) Lehrerin bekommen, die sie sehr gern mochte.

Die Mutter fiel ihren Kindern um den Hals, und küßte sie unter einer Flut von Tränen. Als sie nach einiger Zeit ihre Tränen (Augen) getrocknet hatte, blickte sie sie beide ganz fest an (starrte sie sie beide an), [so] als ob sie in ihrem Gedächtnis ein lebendiges und bleibendes Bild von ihnen bewahren wollte. Dann kam der Vater ins Zimmer, in seinen besten Kleidern (seinem besten Anzug). Er hielt seinen weichen, schwarzen Hut (seinen schwarzen Filzhut) in der einen Hand, und in der anderen hielt (hatte) er ein Weihwasserfläschen. Er besprengte die Kinder mit dem Weihwasser, und sie bekreuzigten sich. Er hustete und sagte mit schwacher, sanfter Stimme, die ihm fremd war (vorkam), daß es Zeit zum Gehen sei.

48. Möchten Sie Premierminister sein?

Möchten Sie Premierminister sein? Mancher ehrgeizige Politiker wäre es sicherlich gerne. Niemand wird jedoch einfach eines Morgens aufwachen und sich als Lenker der Geschicke der Nation wiederfinden. Es (Dies) ist ein Amt, das nur der erfahrene Politiker erreicht, und dazu braucht er, bzw. sie, besondere Eigenschaften und Ideale.

Sicherlich braucht man Härte und ein gewisses Maß an Rücksichtslosigkeit, und ohne ein ausgeprägtes soziales Verantwortungsgefühl wäre der Premierminister ebenfalls verloren. Er, bzw. sie, benötigt auch viel Erfahrung. Normalerweise hat er, bzw. sie, das Amt des Außen-, Innen- und Finanzministers innegehabt. All(e) diese Ämter erfordern nicht nur administrative(s) Fähigkeiten (Können), sondern auch persönliches Engagement im Amt und ein Gefühl der Befriedigung bei dessen (seiner) Ausübung. Ehrgeiz ist ebenfalls eine Triebfeder, und sehr viel Stehvermögen ist nötig.

Der Mann oder die Frau, der, bzw. die, diesen hohen Posten (dieses hohe Amt) innehat, muß auch ein gesundes politisches Urteilsvermögen besitzen. Er, bzw. sie, muß in der Lage sein, Zahlen und Fakten schnell zu erfassen und klare Entscheidungen zu treffen. Er, bzw. sie, muß Führungsqualitäten haben und in der Lage sein, das Volk, das Parlament und die Welt allgemein zu beeindrucken. Zu keiner Zeit jedoch sollte ein Premierminister seinen, bzw. ihren, Idealismus verlieren.

49. Ein neues Buch

Als typisches Beispiel möchte (will/werde) ich ein jüngst (kürzlich) erschienenes Buch über eine Hexe herausgreifen (wählen). Ich fand es gut (Mir schien es, ein gutes Buch zu sein), und ich empfahl es einem Bekannten (Freund), dessen Urteil (Meinung) ich schätzte. Er fand es mäßig (schlecht). Das ist es ja, was die(se) neuen Bücher so lästig (unangenehm) macht (erscheinen läßt) (Das macht ja die(se) neuen Bücher gerade so lästig): sie geben uns [nämlich] nie jenes beruhigende Gefühl, das wir haben, wenn wir die Klassiker lesen (durcharbeiten)! Dieses Buch (Werk) enthält kaum etwas, was neu ist (wäre) (kaum etwas Neues) – das können Phantastereien [ja] auch nicht! [Es ist] wieder nur die alte Story (Geschichte) des Zauberrings (magischen Rings), der entweder Verzweiflung (Elend) oder überhaupt nichts bringt. Flecker, ein amerikanischer Junge, der in Paris das Malen lernt, bekommt in einem Café von einem Mädchen den Ring; sie ist eine Hexe,... [das] erzählt sie ihm [wenigstens]. Er braucht bloß (nur) zu wissen, was er will, und er bekommt es (wird es bekommen). Um ihre Zauberkräfte zu beweisen, hebt ein Bus langsam von der Straße ab und stellt sich in der Luft auf den Kopf (läßt sie einen Bus . . . abheben und sich . . . stellen). Die Fahrgäste, die nicht herausfallen, versuchen so zu tun, als ob [gar] nichts passiert (los ist). Der Fahrer, der gerade auf dem Bürgersteig steht, kann seine Verwunderung (sein Erstaunen) nicht verbergen; als aber sein Bus [wieder] sicher zur (auf die) Erde zurückkehrt, findet er es klüger (hält er es für besser/zieht er es vor), sich auf seinen Sitz zu begeben und loszufahren wie üblich (als sei nichts geschehen).

50. Kindheitserinnerungen

Es war ein schöner Frühling, aber am Morgen (morgens) war es [immer] kühl, und das Wasser [war] kalt. Sich umzuziehen (auszuziehen) hinter einer Wand (Mauer) triefend nasser Fischkisten, während eine salzige Brise einem bis unter die Haut drang, [das] war für uns Kinder eine Erniedrigung, die wir fürchteten. Aber es war auch (zugleich) ein Triumph, durch den sich alles in heldenhafter Glorie (heldenhaftem Ruhm) präsentierte (durch den alles . . . erschien/der alles in (+ Dat.) . . . erschienen ließ). Auf drei Seiten (In drei Richtungen) erstreckte sich vor uns die schwindelerregende (blendende) Wasseroberfläche, auf der [wiederum] eine tiefliegende, flache Dunstwolke (Nebelwolke) ruhte (lag). In (meilen)weiter Ferne schienen im Osten die Berge in der blaßblauen Luft zu treiben (schweben/dahinzutreiben), in der sie [wiederum] — wie durch eine Linse (Lupe) — so nahe [gebracht] schienen, daß wir Häuser, Bäume und Bäche erkennen (unterscheiden) konnten. Alles um uns herum war wie eine Welt, die gerade geschaffen (geboren) worden war, [und] deren Hauch (Atem) auf unserer Haut prickelte und unsere Lungen mit ihrer kühlen Erregung (an)füllte.

Dann (Und dann) hinunterzusteigen über felsige, moosschlüpfrige Stufen (felsige Stufen schlüpfrigen Mooses), [bis] in einen eisigen Schatten [hinein], während wir und für die Tauchstunde einen inneren Ruck gaben, das war (bedeutete) eine weitere Willensanstrengung, von der (welcher) wir gebannt (gespannt) aufschauten, um zuzusehen (um zu sehen), wie mein Vater auf den höchsten Stapel Kisten (Kistenstapel) stieg (den . . . bestieg) und in den Hafen tauchte, und zwar in einem solchen (in solchem) Winkel, daß es kaum ein Geräusch und nur einen kleinen Wasserspritzer (Spritzer Wasser) gab (kaum ein Geräusch und nur ein kleiner Wasserspritzer entstand). Das (Es) ließ mich vor Begeisterung (Freude) aufschreien.

II. Texts of and answers to the Aural Comprehension Tests

Instructions

1. Pupils should have 2 minutes to read the questions before the passage is read for the first time.
2. The title should be given in English, after which the passage should be read aloud at normal speed.
3. (a) The first section of the passage should then be read and pupils allowed five minutes in which to formulate their answers.
   (b) The second section should be read and another five minutes allowed.
   (c) The third section should be read and another five minutes allowed.
4. The title should be given again in English and the passage read through once more at normal speed.
5. A further five minutes should be allowed for a final revision of the answers.

Note: Pupils may take notes during readings.

Test 1
Music — my favourite pastime!

Es ist wohl natürlich, daß die Musik eines der ältesten, verbreitesten und beliebtesten Hobbys ist. Die ersten Musiker waren unsere Singvögel. Vor der eigentlichen Musik stand also der Gesang. Zunächst als Äußerung der Fröhlichkeit oder Traurigkeit, der Gefühlsäußerung eines Einzelnen, der seinen Worten mit einer Melodie Nachdruck verlieh. Von der Ein- und Mehrstimmigkeit war es sicher nur ein kleiner Schritt zum Chorgesang. Gewiß nicht in den heutigen Größenordnungen, wohl aber innerhalb der Familie.

☐

Wahrscheinlich entdeckte eines Tages ein solcher Sänger, daß man dem Mund auch Pfeiftöne entlocken kann wie die Vögel, und einer dieser Sänger war gewiß der Erfinder der Holzpfeife, wie wir sie als Kinder ja noch selbst hergestellt haben. Eine solche Holzpfeife — versehen mit Löchern — ergibt eine Flöte. Und was lag wohl näher, als mit der Hand oder einem Holzstab auf eine tönende Unterlage zu schlagen und damit Trommelgeräusche zu erzeugen? So oder ähnlich können wir uns die Entstehung der ersten Hausmusik vorstellen. Wie leicht haben wir es heute im Vergleich zu den Urzeiten

32

der Musik! Sowohl, was die Vielfalt der Instrumente, als auch die Möglichkeit des Erlernens, der Musikaufnahme und der Wiedergabe betrifft. Praktisch alle Instrumente von der Mundharmonika bis zur Orgel stehen uns heute zur Verfügung. Groß ist die Zahl der Hausmusik-Kreise wie auch der Musikvereine und Kapellen, ebenso vielfältig die Möglichkeit der Ausbildung. Sie reicht vom Autodidakten über Vereinsausbildung bis zu den Musikschulen.

☐

Musik steht jedem offen: dem „Tenor" im Badezimmer wie dem Gesangverein, dem Gitarristen wie der Familien-Kapelle. Aber auch der Nicht-Musiker braucht nicht abseits zu stehen. Rundfunk und Fernsehen, Schallplatten, Tonbänder und Kassetten ermöglichen die Aufnahme und Wiedergabe beliebter Titel oder Programme. Wer diese Geräte zu handhaben weiß und etwas Phantasie und Geduld hat, kann zu Familienfeiern die schönsten Programme gestalten. Musik war und ist ein Band, das Menschen und Völker verbindet. Ihre erzieherische Wirkung ist ebenso bedeutend wie ihre unterhaltende. Nicht umsonst behaupten Millionen von Menschen: Musik ist mein liebstes Hobby!

		Marks
1.	The first musicians were the song birds (1); the first kind of music was singing (1)	2
2.	Happiness (1); sadness (1)	2
3.	With a tune or melody	2
4.	Members of a family singing together	2
5.	An early singer discovered firstly how to whistle (1) and then found he could produce similar sounds by putting holes into a wooden pipe (1)	2
6.	With a primitive drum (1); with the hands (1) or with a wooden stick (1)	3
7.	There is a wide choice of instruments to play (1); there are many opportunities to learn music (ranging from self-tutoring systems to music schools) (1); people can join music societies and orchestras (1); there are opportunities to record music and play records and tapes (1) (Max. 3)	3
8.	The "tenor" in the bathroom (1); the choral society (1); the guitarist (1); the family band or orchestra (1) (Max. 3)	3
9.	Imagination (1); patience (1)	2
10.	Music is a bond joining people of all races (2); its educational value is just as important as its entertainment value (2)	4

Total: 25

Test 2
Pupils help to landscape their school grounds

Jungen und Mädchen in der Mittelpunktschule Oldendorf machten jetzt erste Ansätze zu einem ungewöhnlichen Vorhaben. Mit Bäumen im Wert von 2000 Mark machten die Schüler einen Anfang zur Verschönerung ihrer „Arbeitsstätte". In einer Sonnabendmorgen-Aktion bepflanzten die Schüler der Klassen acht und neun ihr Schulgelände mit Lärchen, Tannen und Laubbäumchen, die dem Windschutz auf dem noch kahlen Gelände dienen sollen.

☐

Eine Planungsgruppe aus Eltern und Lehrern hatte die Vorarbeit dazu geleistet. Das erforderliche Geld wurde beim Gemeinderat beantragt und schließlich auch genehmigt. Unerwartet schnell war die Pflanzaktion dank fleißiger Hände abgeschlossen. Neben den Lehrern hatten auch einige Eltern mitgewirkt. Vermißt wurden Vertreter des Gemeinderates! Als die Schulklassen nach Unterrichtsschluß so richtig mit „zupacken" wollten, war die Arbeit, bei der auch ein Gartenbauarchitekt als Fachkundiger mithalf, schon getan.

☐

Beim anschließenden gemeinsamen Kartoffelsuppe-Essen waren dann alle ebenso kräftig dabei. Für den Nachmittag war noch eine Riesenmenge Kekse gespendet worden. Auch die war bald „unter die Leute" gebracht. Mit dieser Aktion soll jedoch die Schulgeländegestaltung noch nicht abgeschlossen sein. Die Planungsgruppe hat sich bereits über die Aufstellung von Spielgeräten Gedanken gemacht. Im Werkunterricht sind Mädchen und Jungen dabei, aus gespendeten Eichenholzbohlen Sitzbänke für den Schulhof zu konstruieren.

	Marks
1. Two classes were involved (The eighth and ninth classes)	2
2. Larches (1); fir trees (1); deciduous trees (1)	3
3. 2000 DM	2
4. It was bare/bleak	2
5. To act as a wind-break	2
6. Parents (1) and teachers (1)	2
7. The local council	2
8. Representatives of the local council	2
9. It was done on a Saturday morning (1) after school (1); a landscape gardener advised them (2)	4
10. Potato soup (1); biscuits (1)	2
11. Play apparatus (1) was to be erected in the grounds (1) and benches (1) were to be made for the school playground (1)	4
12. They were supposed to make the benches (1) in craft lessons (1) from oak planks that had been donated to the school (1)	3
	Total: 30

34

Test 3
The dangers of television

In Amerika bilden Vorschulkinder die größte Fernsehzuschauerschaft. Sie sehen mehr Stunden und einen größeren Anteil ihrer Wachzeit fern als jede andere Altersgruppe. Selbst vorsichtige Schätzungen zeigen, daß Vorschulkinder in den Vereinigten Staaten mehr als ein Drittel ihrer Wachzeit vor dem Bildschirm sitzen. Obwohl Eltern häufig tief beunruhigt über das Fernsehen und seine Wirkung auf Kinder sind, dreht sich ihre Sorge mehr um den Inhalt der Sendungen als um das Fernsehen selbst. Aber genau das schadet kleinen Kindern.

☐

Ein Kind braucht viele Gelegenheiten, um sich mit den einzelnen Familienmitgliedern auseinandersetzen zu können. Das Fernsehen verringert diese Gelegenheiten. Ein Kind muß bestimmte sprachliche Fähigkeiten erwerben wie Lesen und Schreiben, es muß sich klar ausdrücken können. Doch das Fernsehen fördert seine Sprach-Entwicklung nicht, weil es keine verbale Teilnahme, sondern bloß passive Aufnahme verlangt. Ein Kind muß seine eigenen Stärken und Schwächen kennenlernen. Fernsehen hilft ihm nicht dabei, sondern raubt ihm statt dessen die Zeit für die entsprechenden Erfahrungen. Kinder haben ein großes Bedürfnis nach Phantasievollem. Doch das wird viel besser durch ihre eigenen „So-tun-als-ob-Spiele" befriedigt als durch die von Erwachsenen ausgedachten TV-Geschichten.

☐

Schließlich muß man auch fragen, wie das Fernsehen das Verhalten der Kinder als zukünftige Eltern beeinflußt. So, wie sie jetzt das Familienleben erfahren, werden sie es später ja auch bei sich gestalten. Das Fernsehen hat sicher eine negative Wirkung auf das Familienleben und nimmt ihm viel von seinem Reichtum. Eltern denken vielleicht, daß für Kinder das Fernsehen dasselbe bedeutet wie für sie. Doch es gibt einen wesentlichen Unterschied: Der Erwachsene hat bereits viele Erfahrungen gesammelt, das Kind nicht. Die späteren wirklichen Erlebnisse werden beim Kind Erinnerungen ans Fernsehen wachrufen und nicht, wie beim erwachsenden Zuschauer, umgekehrt. Eltern sollen sich also bewußt werden, wie schädlich das Fernsehen für ein kleines Kind und seine Art zu denken und handeln sein kann. Vielleicht werden sie dann ihre Aufmerksamkeit nicht mehr so sehr auf das richten, *was* ihre Kinder sehen, sondern mehr auf die Frage, *warum* und *wie oft* sie sehen — und *welche* anderen Beschäftigungen sie dabei versäumen. Und wenn sie sich dann noch überlegen, wie stark das Fernsehen in das Familienleben eingreift, etwa bei den Mahlzeiten oder Unterhaltungen, kommen sie sicher auch zu dieser Überzeugung: daß der Preis, den eine Familie für vieles Fernsehen bezahlt, einfach zu hoch ist!

35

1. Pre-school children 2
2. More than a third of the time they are awake 2
3. Their content 2
4. It restricts the opportunities a child might have of inter-relating with them 2
5. It restricts linguistic development because there is no verbal participation (2); because the child accepts passively the content of the programmes (2) 4
6. Because the child doesn't have enough time for the experiences needed to establish these qualities 2
7. Through their own 'Let's pretend games' 2
8. Because they are written by adults 2
9. Children will take their own early family life as the norm and have a similar one for their own children (3); many present-day parents have gathered experiences from their own childhood that their own children won't have (3); the experiences that present children have in their adult lives will evoke memories of television and not, as is the case with present adults, vice-versa (3) (Max. 6) 6
10. They should realize how harmful television can be to a small child's thought and behaviour (3); they should ask themselves *why* and *how often* a child should watch television (3); they should consider what else the child could be doing (3); they should realize how television affects family life, particularly at meal times (3); they should realize how television affects the 'art of conversation' (3) (Max. 6) 6

Total: 30

Test 4
A new "disease"

Im Laufe vieler Jahrhunderte hat der Mensch fast alle Seuchen, Epidemien und gefährlichen Krankheiten ausgerottet. In den letzten Jahrzehnten des zwanzigsten Jahrhunderts ist nun der Mensch dabei, eine Seuche selbst zu produzieren; die Seuche heißt Umweltverschmutzung. Der Mensch ist dabei, im Namen des Fortschritts die Welt zu zerstören, in der er lebt. In der Mitte des zwanzigsten Jahrhunderts hatte der Mensch ein Kriegswerkzeug entwickelt, das die ganze Erde in die Luft jagen könnte: die Atombombe. Nun, mitten im Frieden, hat der Mensch noch einen zweiten Weg zum Selbstmord des Planeten Erde gefunden: die systematische Verschmutzung des Erdbodens, des Wassers und der Luft.

□

Auf der einen Seite glauben wir Chemiekonzernen, die ihre Produkte mit dem Slogan anpreisen: „Die Welt wird schöner mit jedem Tag!" Auf der anderen Seite sehen wir aber die Umweltkatastrophe immer näher kommen, sehen wir, daß die Welt *häßlicher* mit jedem Tag wird: Eine große Fabrik schüttet täglich fast zwei Millionen Kubikmeter Abwässer in den Rhein; das ist ebensoviel wie Koblenz, Bonn, Köln und Dortmund zusammen an städtischen Abwässern in den Rhein fließen lassen. Auto- und Industrieabgase zerfressen die Fassade des Kölner Doms. Durch das Sickerwasser einer Müllkippe wurden Boden und Grundwasser so verseucht, daß die Ernte in den umliegenden Feldern zurückging, und ein nahegelegenes Wasserwerk schließen mußte. Der alte Angelwitz mit dem Schuh am Angelhaken ist schon lange kein Witz mehr; immer wieder berichten Fischkutter, was sich außer Fischen in ihren Netzen findet: Bierbüchsen, Flaschen, Metallteile, Ölschlamm, Plastikbehälter und sogar Giftfässer. ... Wer ist der Überträger dieser schlimmen Krankheit, die Umweltverschmutzung heißt? Der Mensch selbst! Und was tut er dagegen? Erst in den letzten Jahren sind effektive Schritte unternommen worden: Industrieabwässer werden kontrolliert, Autos müssen spezielle Benzinfilter haben, der Bleigehalt des Benzins wurde gesenkt, wer Abfälle in der Natur wegwirft, muß Strafe bezahlen, Müllabladeplätze wurden geplant, Firmen, die Giftwasser ins Meer versenkt hatten, wurden bestraft. □

Wie effektiv zum Beispiel Umweltschmutz sein kann, zeigt das Londoner Luftschutzgesetz von 1956: die Luftverschmutzung ging um 80% zurück, im Winter gibt es jetzt zweimal soviel Sonnentage, Smog und Nebel sind fast ausgerottet, viele Singvögel, die vor dem Smog geflohen waren, kamen in die Stadt zurück. Experten, Politiker, Umwelt-Bürgerinitiativen und viele andere haben auch erkannt, daß Umweltschutz nicht nur eine nationale Aufgabe ist. Hier muß es auch internationale Zusammenarbeit geben. Die EG und die UNO beschäftigen sich z.B. laufend mit diesem Thema, und sogar die NATO hat sich mit diesem Problem schon beschäftigt. Wenn wir keine Medizin gegen die Seuche Umweltverschmutzung finden, wenn wir die ökologische Krise nicht aktiv bekämpfen, wenn wir nicht selbst mit Hand anlegen, könnte die Welt von morgen wieder die Welt von gestern — nämlich die Steinzeit — sein.

	Marks
1. Pollution	2
2. The atomic bomb	2
3. The systematic pollution of the earth, the water and the atmosphere (air)	4
4. The paradox is that although factories produce goods that make our everyday life more pleasant, they or their products frequently cause pollution (2).	

Factories often get rid of their waste matter into rivers (here, the Rhine) (3); similarly car exhaust fumes and industrial waste gases erode buildings (here, the façade of Cologne cathedral) (3); polluted water from a rubbish dump seeped into the ground and ground water, so affecting crops in nearby fields/causing a nearby waterworks to close (3); fishing vessels no longer catch just fish but also beer cans, plastic containers, oil scum, containers with poisonous materials, etc. (3) — (2 marks for explaining paradox and a maximum of 6 for examples) 8

5. Man himself is the carrier of the disease 2

6. Industrial sewage is being controlled (2); cars have to have special petrol filters (2); the lead content of petrol has been lowered (2); people who dispose of rubbish in the countryside are fined (2); rubbish tips are better planned (2); firms who dispose of poisonous waste matter into the sea are fined (2) (Any three answers — Max. 6 marks) 6

7. Air pollution was reduced by 80% (2); twice as many sunny days in winter (2); smog and fog have almost disappeared (2); birds that had left the city because of fog have returned (2) 8

8. On an international scale 2

9. The Common Market (1); UNO (1); NATO (1) 3

10. The world of tomorrow could become the world of yesterday (2) — The Stone Age (1) 3

Total: 40

Test 5

The "pros and cons" of a speed limit of a hundred kilometres an hour

Hans Neumann kommt morgens zwei Stunden zu spät zur Arbeit. Man sieht ihm an, daß er wütend ist, und so necken ihn seine Kollegen: ,,Mensch, Hans, bist wohl mit dem falschen Fuß zuerst aufgestanden, was? Oder bist du gar nicht ins Bett gegangen? Oder hast du dich etwa in der Stadt verfahren?" ,,Ach, Unsinn", erwidert Hans, ,,heute morgen geht auch alles schief! Erst war in der Bullenhausener Hauptstraße ein großer Betonmischer umgekippt. Ich war sofort in einer wartenden Autoschlange. Die Fahrzeuge stauten sich bald in beiden Richtungen — trotz aller Versuche der Polizei, den Verkehr umzuleiten. Es dauerte doch tatsächlich eindreiviertel Stunden, bis ein Kranwagen kam, der den Betonmixer auf die Seite hob.

□

Und dann hat es mich zwischen Burgdorf und Ochsenstadt noch einmal erwischt; nein, es war kein Unfall . . . sondern eine Polizeikontrolle, eine Radarfalle, gleich hinter der großen Kurve, kurz vor dem alten Krankenhaus. Sie haben mich ,,fotografiert" natürlich; und auch noch angehalten. Das hat mich nicht nur 150 DM gekostet (ich hatte nämlich 150 Stundenkilometer drauf), sondern das wird mich auch einige Pluspunkte in der Flensburger Verkehrssünderkartei kosten. Und eine Viertelstunde Zeit hat es mich auch noch gekostet. Die Polizisten haben nämlich alle möglichen Fragen gestellt: ob ich von Beruf Rennfahrer sei, ob mein Tachometer vielleicht kaputt sei, und ob sie meine sämtlichen Wagenpapiere sehen könnten, und ob ich noch nie etwas von Tempo 100 auf der Landstraße gehört hätte? Dann hat mich ein Polizist noch über das Thema „Tempo 100" belehrt und ermahnt:

□

Das sogenannte Tempo 100 wurde vor einigen Jahren in der Bundesrepublik eingeführt. Es handelt sich um eine Geschwindigkeitsbegrenzung auf *einhundert*, nicht einhundert*fünfzig*, Stundenkilometer. Diese Begrenzung gilt für alle Straßen, außer für Autobahnen. In vielen Ländern darf man sogar auf den Autobahnen nur 100 fahren. In der Schweiz darf man seit dem ersten Januar nirgends schneller als 100 fahren. Warum hat man auf bundesrepublikanischen Landesstraßen und allen anderen Straßen — außer Autobahnen — Tempo 100 eingeführt? Weil auf unseren Straßen jährlich über 20 000 Menschen tödlich verunglücken, die meisten davon auf Landstraßen und in Großstädten!... Ihr seht, ich kann mich noch gut an die Belehrung erinnern! Nur: warum passieren auf den Autobahnen die wenigsten Unfälle? Weil dort am schnellsten gefahren wird!"

		Marks
1.	He was two hours late (1); he was angry (1)	2
2.	A large cement mixer had overturned, blocking the road (1); the delay was one and three quarter hours (1); a radar trap (1)/a quarter of an hour (1)	4
3.	You must have got out of bed the wrong side (1); perhaps you didn't go to bed at all (1); perhaps you lost your way in the town (1)	3
4.	A long line of traffic built up in both directions because the road was blocked (1) and the police were unable to divert it (1)	2
5.	The cement mixer was pulled up by a pick-up truck	2
6.	The police had set up a radar trap (1) between Burgdorf and Ochsenstadt (1) just behind the bend in the road (1) shortly before the old hospital (1)	4
7.	The police had 'monitored' his speed on their radar equipment	2
8.	150 DM	1
9.	3 DM	1
10.	Are you a racing driver? (1); is your speedometer broken? (1); perhaps you've never heard of a speed limit of 100 kilometres an hour on main roads? (1)	3
11.	In many countries you can't exceed 100 kilometres an hour even on motorways (2); in Switzerland there has been a maximum speed limit of 100 kilometres an hour on all roads since 1st January (2)	4
12.	It's safer to drive fast on all roads!	2
	Total:	30

Test 6
Working with alcoholics

„Auf dem Land ist es für Alkoholkranke am schwersten, den ersten Schritt zu tun, um von der Abhängigkeit loszukommen." Diese Erfahrung hat Isolde H. gemacht, die die Kontaktstelle für Alkoholabhängige, Gefährdete und abstinent Lebende in Drochtersen betreut. Jeden Mittwoch findet unter ihrer Leitung ein Gruppenabend von 19 bis 21 Uhr in Drochtersen statt. In Stade wird die Kontaktstelle von Anni R. geleitet. Etwa zehn bis zwanzig „nasse" und „trockene" Alkoholiker treffen sich montags von 18 bis 20 Uhr, davon jeden ersten Montag im Monat mit Angehörigen.

☐

Alkoholabhängigkeit ist eine Krankheit — diese Erkenntnisse muß nach Meinung der beiden Betreuerinnen noch viel stärker in das Bewußtsein der Öffentlichkeit gebracht werden. Denn gerade die Isolation und die Ablehnung durch die Mitmenschen — Familienmitglieder und Nachbarn — macht es den Alkoholikern so schwer, sich überhaupt an einen Arzt oder eine Beratungsstelle zu wenden. Deshalb laden die Kontaktstellen zu einer Informationsveranstaltung ein. Klaus J., leitender Therapeut im Therapiezentrum Oerrel, wird über seine Tätigkeit berichten und stellt sich, verbunden mit kleinen Filmvorführungen, als Diskussions- und Informationspartner in allen Fragen über Alkoholismus zur Verfügung. Klaus weiß, wovon er spricht. Er war früher alkoholabhängig.

☐

Auch Isolde H. und Anni R. bekennen sich ohne Scheu zu ihrer über-wundenen Abhängigkeit. Sie glauben, daß sie sich noch besser als diejenigen, die Alkoholismus nur in der Theorie kennengelernt haben, in die Probleme der Betroffenen hineindenken können. In Gesprächen wollen sie den Alkoholkranken aus ihrer seelischen Verklemmung heraushelfen. Gerade aber in den ländlichen Bereichen fällt der Weg zu einer Beratungsstelle nicht leicht. Isolde H., die genau wie Anni R. ehrenamtlich arbeitet, löst das Problem durch Hausbesuche. Denn daß die Angehörigen in die Arbeit mit einbezogen werden, hält sie für besonders wichtig. Im August und September legte sie mit ihrem Auto insgesamt 1800 Kilometer im Kreisgebiet zurück, um die Alkoholkranken aufzusuchen. Zwar ist die Teilnahme an den Gruppenabenden anonym und ohne jeden Zwang; wenn ein Teilnehmer aber häufiger nicht erschienen ist, melden sich die beiden bei ihm oder bei ihr. „Alleine kommt man davon doch nicht los", meinen sie. Auch wer eine Kur gemacht hat, sollte sich unbedingt einer Gruppe anschließen.

Marks

1. That it's most difficult for alcoholics in the country to take the first step to give up drinking   2
2. She works for a centre for all kinds of alcoholics (1)/(for confirmed alcoholics, reformed alcoholics and those in danger of becoming alcoholics (1))   2

3. No (1); there is another one in Stade (1)   2
4. They hold 'group evenings' for alcoholics   2
5. 'Wet' and 'dry' alcoholics (2); the former are still confirmed alcoholics, the latter have managed to give up drinking alcohol (2)   4
6. Because alcoholics often feel isolated (2) and rejected by other people, by the members of their families and by neighbours (2)   4
7. Because he used to be an alcoholic himself (1); he intends to talk about his activities as leader of a therapeutic centre for alcoholics (1); he will show some short films (1) and then lead a discussion about all sorts of 'drink' problems (1)   4
8. They too used to be alcoholics   2
9. They don't get paid/They are voluntary workers   2
10. Because she can involve relatives in the problem as well   2
11. 1125 miles   2
12. Because there is a danger they could start drinking again/Because you can't give drinking up by yourself   2

Total: 30

Test 7
Cigarette smoking

Das Zigarettenrauchen ist die häufigste Rauchgewohnheit. In Europa ist sie relativ spät bekannt geworden: Während und nach dem Krim-Krieg (1853-1856) brachten englische und französische Soldaten diese neue Art des Rauchens mit. Sie hatten von den Russen und Türken die Gewohnheit kennengelernt, Tabak in Papier zu wickeln. Mit der maschinellen Produktion setzte sich die Zigarette schnell in allen Ländern und Gesellschaftsschichten durch. Dennoch werden es Raucher in Zukunft immer schwerer haben. Die Zigarettenreklame ist in vielen Ländern abgeschafft worden, in öffentlichen Verkehrsmitteln ist sie oft ganz verboten worden. Auch das Rauchen in öffentlichen Verkehrsmitteln, einschließlich Flugzeug, ist eingeschränkt worden. Auch richtet man in Schulen keine Raucherzimmer für Oberstufenschüler mehr ein.

□

Broschüren warnen: Mindestens 50 000 Bundesbürger sterben Jahr für Jahr vorzeitig, nur weil sie rauchen! Ein starker Raucher verkürzt sein Leben im Durchschnitt um mehr als acht Jahre. Raucher sterben umso früher, je eher sie mit dem Rauchen angefangen haben, je häufiger sie rauchen, je mehr sie „auf Lunge" rauchen. Rauchen ist deshalb Selbstmord auf Raten: Wer raucht, denkt nicht. Wer denkt, raucht nicht! Am besten sollte man gar nicht erst anfangen zu rauchen; aber das ist leichter gesagt als getan. Wenn man erst einmal ein richtiger Kettenraucher ist, läßt man sich von seinem Laster nicht so leicht abbringen. Wer sich das Rauchen aber ernsthaft abgewöhnen will, findet heutzutage viele Hilfen. Es gibt dicke Bücher über dieses Thema, Zeitungsinserate locken: „So gewöhnen Sie sich das Rauchen ab", es gibt auch Kurse darüber, das Gesundheitsministerium gibt Broschüren heraus, die pharmazeutische Industrie hält Pillen und Tabletten bereit, die „garantiert" wirken, wenn man sie regelmäßig einnimmt . . . und dabei nicht raucht!

☐

Sollten Sie sich dennoch nicht von der Zigarette trennen können, dann gibt es noch intensivere Methoden. In vielen Kur- und Badeorten der Bundesrepublik werden heute Entwöhnungskuren angeboten, bei denen man sich unter fachlicher Aufsicht das Rauchen abgewöhnen kann. Kommt man aber ins Behandlungszimmer, sieht man womöglich, wie der Arzt seine Zigarette gerade im Aschenbecher ausdrückt . . . Bei „Anti-Rauch-Seminaren" hören die Teilnehmer Vorträge über die gesundheitlichen Gefahren, zum Beispiel über den Lungenkrebs. Dann diskutieren sie über die Zigarettenreklame, und nach einigen Tagen rauchen sie nicht mehr, sondern essen Bonbons, Nüsse oder Obst und trinken Mineralwasser. Am Ende des Kurses haben ca. 90 Prozent der Teilnehmer das Rauchen wirklich aufgegeben. Nur: Umfragen haben ergeben, daß nach fünf Jahren etwa 50 Prozent der ehemaligen Kursteilnehmer wieder rauchten . . . Die „Kriegsbeute" aus dem Krimkrieg bringt uns mehr Schaden als Nutzen. Gegen die Gefahren des Rauchens gibt es nur eins: gar nicht erst anfangen . . . oder aufhören!

Marks

1. They got it from English and French soldiers (2) who had learnt from the Russians and Turks (2) at the time of the Crimean War how to wrap tobacco in paper — 4
2. The fact that cigarettes were produced by machines — 2
3. Cigarette advertising has been abolished in many countries (2); cigarette advertising is often prohibited in public transport vehicles (2); cigarette smoking has been limited on public transport vehicles and in aeroplanes (2); smoking rooms for senior pupils in schools are no longer being provided (2) — (Max. 6) — 6
4. 50,000 West Germans die prematurely each year because of smoking (2); a heavy smoker shortens his life on average by more than 8 years (2); the sooner you start smoking, the earlier you die (2); the more often you smoke, the more you inhale (2); smoking is suicide on hire-purchase (2); He who smokes, doesn't think. He who thinks, doesn't smoke (2) — (Max. 4) — 4
5. By producing books on the subject (2); through newspaper adverts (2); by running courses (2); through brochures (2); with the aid of pills and tablets (2) — (Max. 6) — 6
6. You have to stop smoking while you take the tablets! — 2
7. You might see him stubbing out his cigarette in the ash-tray! — 2

8. They listen to lectures about the dangers of smoking (2), e.g.
   about lung cancer (1); they discuss anti-smoking adverts (2)   5
9. 90% of the participants give up smoking (2); they eat sweets,
   nuts and fruit instead (2); after 5 years 50% of the former
   participants start smoking again (2)   6
10. They have done more harm than good (2); it's better not to
    start smoking or if you do, to give it up! (1)   3

                                                        Total: 40

Test 8
She just wanted to die

Die alte Dame hat uns oft vom Tod ihrer Großmutter erzählt. Die Familie
war damals tagelang in der guten Stube um das Bett der Sterbenden
versammelt gewesen. Der Großvater arbeitete draußen als Bahnbeamter und
verbrachte die Zeit zwischendurch an ihrem Bett. Als es zu Ende ging,
flatterte ein Huhn auf das Bett der Sterbenden. Die Familie brach in Lachen
aus. Der Großvater zielte mit der Tabakspfeife nach dem Huhn und traf
daneben. Das hatte das Gelächter noch vergrößert. Als das Huhn endlich
eingefangen war, lag die Großmutter friedlich lächelnd da und war tot. Das
war in den Jahren vor dem Ersten Weltkrieg gewesen.

                                    □

Ich hatte immer angenommen, daß die alte Dame sich zeitlebens einen
ähnlichen Tod wünschte. Es sollte anders kommen. Als sie starb, war sie
allein. Im Jahr zuvor hatte sie ihre große Altbauwohnung aufgegeben und
war mit ihrem Mann in ein Apartment mit Aufzug am anderen Ende der
Stadt gezogen. Heizung und Müllschlucker nahmen ihr jetzt die vertrauten
Arbeiten ab. Die Nachbarn fehlten ihr. Sie langweilte sich. Die Läden waren
ihr fremd, und der Wochenmarkt zu weit weg, um ihn noch zu Fuß zu
erreichen. Sie haßte die öffentlichen Verkehrsmittel. Sechs Monate später
starb ihr Mann.

                                    □

Wir sahen ratlos zu, wie sie zu trauern begann. Sie schlief schlecht und aß
wenig. Bald ließ das Kurzzeitgedächtnis nach. Die Ohren wurden schwächer.
Eine Unterhaltung mit ihr wurde zunehmend mühsamer. Auf Spaziergängen
suchte sie nach dem Haus ihrer Kindheit und war verzweifelt, daß wir es
nicht finden konnten. Sie drängte nach Hause aus Furcht, der Vater könne sie
wegen Unpünktlichkeit bestrafen. Nöte und Ängste kamen zum Vorschein,
Gefühle, von denen wir nie gewußt hatten. Angst vor dem Vater, innige
Zuneigung zur Mutter. Hunger im Ersten Weltkrieg. Der Verlust des
Großvaters. Kein Wort von den eigenen Kindern, vom Zweiten Weltkrieg,
von der langen Gefangenschaft ihres Mannes und seiner Arbeitsunfähigkeit
danach, nichts von den schlimmen Jahren, in denen sie putzen ging. Sie zog
sich mehr und mehr in die Bereiche ihrer Kindheit zurück. Sie wünschte sich,
zu sterben.

1. He had worked for the railway/he had been a railway official 2
2. Because the family had been gathered round her death bed for days 2
3. A hen fluttered onto the grandmother's bed (1); this caused the family to laugh (1); the grandfather aimed his pipe at the hen and just missed (2); that increased the laughter (1); they finally caught the hen (1) 6
4. Because she was lying peacefully (1) in bed and she had a smile on her face (1) 2
5. In the years before the First World War 2
6. She wanted to die in a similar way 2
7. She was alone when she died 2
8. She had moved with her husband from her old home (1) to an apartment with a lift (1) at the other end of the town (1) 3
9. She had liked seeing to the heating and rubbish but the (central) heating and waste disposal unit in her new home meant she no longer had to bother about them (2); she missed her neighbours (2); she was bored (2); the shops were strange to her (2); the weekly market was too far away to walk to and she didn't like public transport (2) — (Max. 8) 8
10. She began to grieve (1); she slept badly (1); she ate little (1); her memory failed (1); she became deaf (1) — (Max. 4) 4
11. She had all sorts of hidden worries and fears (1); she had been afraid of her father (1) and she had been extremely fond of her mother (1) 3
12. He had been unable to work because he had suffered during a long period as a prisoner of war (2); she had been a charlady (2) 4

Total: 40

Test 9
A memorable New Year's Eve party

Es sind schon etliche Jahre her, doch stets erinnere ich mich zur Jahreswende an eine Silvesterfeier, die ich nie mehr vergessen werde. Wir hatten für den letzten Abend im alten Jahr einige Freunde aus der Nachbarschaft eingeladen, Flur und Wohnzimmer fröhlich drapiert mit bunten Lampions und allerlei Scherzartikeln. Unsere Kinder konnten die Silvesternacht kaum noch erwarten. Sie hatten schließlich Schulferien und ihren Vater mehrfach daran erinnert, daß sie an diesem Tage endlich länger wach bleiben durften. Punkt acht Uhr waren die beiden befreundeten Ehepaare gekommen, die in der geräumigen Wohnstube leicht Platz fanden. Noch einmal wurden die Begebenheiten des letzten Jahres angesprochen, Politik und lokaler Tratsch.

Draußen jagten sich schon die ersten Knaller und größere und kleine bunte Raketen stiegen auf. Wir saßen jedoch fast friedlich beisammen, bis es plötzlich an der Haustür Sturm klingelte.

□

Ich öffnete ahnungslos die Tür. Wer stand vor mir? Carlo Mendozzi mit Frau und seinen sechs kleinen Bambini. „Ja, welch eine Überraschung," stammelte ich. „Wie kommen Sie denn jetzt hierher?" Mendozzi genoß sichtlich die Situation, während ich kein sonderlich glückliches Gesicht machte. „Kamerad, erinnerst du dich", fing er an, „letztes Urlaub in Rimini. Hast gesagt, wir sollten dich mal besuchen, egal wann! Da sind wir!" Sie trudelten herein, legten an der Garderobe ihre Sachen ab und nahmen von unserem Wohnzimmer mit lautem „Hallo" Besitz, als sei dies ein ständiger Tummelplatz für Kinder. Nun muß hinzugefügt werden, daß wir jene Gastarbeiter-Familie tatsächlich im Urlaub kennengelernt und uns mit den Mendozzis angefreundet hatten. Ich hatte damals im Überschwang weinseliger Abendlaune angedeutet, sie könnten uns doch mal allesamt zu Hause besuchen. Solche Überraschungen hatten wir jedoch seinerzeit kaum geahnt.

□

Der junge krausköpfige Angelo, gerade 6 Jahre, hatte sich schon mit einer großen Porzellan-Vase beschäftigt, die kurz darauf unter strahlenden Kinderaugen klirrend zu Bruch ging, während sich die kaum ältere Maria über die kalte Platte hermachte, als habe sie drei Tage nicht gegessen. Antonio hantierte mit unseren Kindern auf dem Balkon mit Wunderkerzen herum. Der Rest der Mendozzi'schen Nachkommenschaft spielte unter dem Wohnzimmertisch mit Keksen. Es dauerte eine ganze Weile, bis sich die ganze Gesellschaft wenigstens einigermaßen beruhigt hatte. Punkt zwölf Uhr standen wir alle mit einem Sektglas in der Hand auf dem Balkon, ein seltenes Bild der völkerverständigenden Einigkeit, prosteten uns zu und wünschten einander ein „Fröhliches Neues Jahr". Am darauffolgenden Morgen dauerte es etwas länger als gewöhnlich, bis meine Frau die Spuren der Silvester-Party verwischt hatte, während ich kleinlaut aus einer Ecke zum dritten Mal nach Alka-Seltzer verlangte. Vielleicht war gerade jene Silvesterfeier daran schuld, daß uns bis zum heutigen Tag mit der italienischen Gastarbeiter-Familie aus Kalabrien noch immer eine herzliche Freundschaft verbindet.

	Marks
1. The hall and lounge (1) had been decorated cheerfully (1) with brightly coloured lanterns (1) and all kinds of novelties (1)	4
2. Because they were to be allowed to stay up longer than usual	2
3. Two married couples (2) who were friends of theirs (1)	3
4. The events of the past year (1); politics (1); local gossip (1)	3
5. A frantic/frenzied/violent ringing of the doorbell	2
6. Eight people (1); Mr. (Carlo) Mendozzi (1), his wife (1) and six children	4

7. He had met him the previous year (1) on holiday (1) in Rimini
   (Italy/the Adriatic) (1)   3
8. Because the writer had invited him and his family (1) to visit
   him (1) at any time (1)   3
9. The young(est) child (Angelo/6-year-old) played with a china
   vase and broke it (2); his (slightly older) sister (Maria) kept on
   eating from the selection of cold meats (as if she hadn't eaten
   for three days) (2); Antonio played with/busied himself /mucked
   about with sparklers with the writer's children on the balcony
   (2); the rest of the Mendozzi children played with biscuits
   under the lounge table (2)   8
10. They all stood on the balcony (1) and wished each other a
    "Happy New Year" (1) as they drank champagne (1)   3
11. Because he had a 'hangover'   2
12. Because he concludes that it was perhaps that particular New
    Year's Eve (1) that cemented a lasting friendship (1) with the
    Italian 'Gastarbeiter' family (1)   3
                                                          Total: 40

Test 10
Disastrous weather conditions

Gewaltige Stürme haben am Donnerstag schwere Zerstörungen und
Sachschäden in Höhe von mehreren Millionen D. Mark angerichtet.
Zahlreiche Schiffe in der Nordsee und im Ärmelkanal sind in Seenot geraten.
Das stürmische Wetter hat die milde Witterung der ersten Herbsttage
abgelöst. An der Küste wurde wieder eine Sturmflutwarnung gegeben. Über
die Alpen fegte ein Schneesturm mit Orkanböen hinweg. Im Flachland fielen
zahlreiche Bäume um, wurden viele Häuser beschädigt, und mehrere
Menschen wurden verletzt. Im ersten schweren Herbststurm, der
Spitzengeschwindigkeiten von 160 Kilometern erreichte, stieg das
Hochwasser in Hamburg auf 2,20 Meter über normal. Überall an der Küste
war die Bevölkerung über Rundfunk und Fernsehen gewarnt worden. Die
Hilfsdienste hatten Tausende von Sandsäcken bereitgestellt. In Hamburg
waren die tiefgelegenen Teile des Hafens überflutet, die Polizei mußte
mehrere Straßen sperren. Am Wochenende hatte man zunächst sogar vor
einer Vier-Meter-Flut gewarnt.

                              □

    Das Thermometer, das am Mittwoch in Bayern noch fast zwanzig Grad
angezeigt hatte, fiel auf drei bis fünf Grad. Die Schneefallgrenze sank auf
800 Meter. Auch im Harz ging Schnee nieder, ebenso im Schwarzwald. In
weiten Teilen der Bundesrepublik kam es zu Verkehrsbehinderungen durch
Straßenglätte. In Frankfurt sank die Temperatur innerhalb einer Stunde von
fünfzehn auf fünf Grad; am Donnerstagmorgen wurden sogar nur vier Grad

gemessen. Im Mittelgebirge kam der Autoverkehr zum Stehen; in Hessen kam es zu zahlreichen Verkehrsunfällen. Streuwagen waren zum erstenmal unterwegs. In Teilen Süddeutschlands deckte der Sturm Hausdächer ab, entwurzelte Bäume, knickte Fernsehantennen, Laternen und Zäune. Die Feuerwehr war pausenlos im Einsatz, um Baugerüste zu sichern und Straßen zu räumen. Ein Auto wurde von einer Bö auf die Gegenfahrbahn geschleudert; es stieß mit einem entgegenkommenden Lastwagen zusammen. Vier Personen erlitten Verletzungen.

☐

Sturmfluten und große Wellen richteten an der Westküste von England und Wales schwere Schäden an. Im Ärmelkanal wurden noch am Donnerstag mehrere britische Sportsegler vermißt. Im holländischen Ijssel-Meer ging ein Frachter unter. Die Nordsee wurde zum Grab eines britischen Frachters, dessen Besatzung und Passagiere aber bis auf einen Mann gerettet werden konnten. Wieder einmal zeigte dieses Unwetterwochenende, daß der Mensch — trotz aller technischen Fortschritte — die Naturgewalten nie ganz unter seine Kontrolle bringen wird!

	Marks
1. It had been mild	1
2. It was autumn	1
3. The normal water level in Hamburg rose by 2.20 metres (2); the lowest parts of the port were flooded (2)	4
4. The auxiliary forces had prepared thousands of sandbags (2); the police had closed several roads (2)	4
5. They were bad (1); the weather forecast said that the normal water level would rise by four metres (2)	3
6. They were very cold (1); the temperature sank from nearly twenty degrees to between three and five degrees (1); snow fell (1) in areas higher than 800 metres above sea level (1)	4
7. Gritting lorries were used (2); the roads were icy and there had been a lot of accidents (2)	4
8. Roofs were torn off (2); trees were uprooted (2); television aerials, street lights and fences were damaged (2)	6
9. They had to make scaffolding safe (2); they had to help clear the streets of vehicles (2); e.g. a car had been hurled by the wind on to the wrong side of the road and had collided with a lorry (1)	5
10. Several British sailing boats were reported missing	2
11. A British freighter (1); they were all saved except for one man (2)	3
12. That man (in spite of all his technical progress (1)) can never completely control the forces of nature (2)	3
	Total: 40

III. Texts of the Multiple-Choice Listening Comprehension Tests

Erster Teil

A. 1. Guten Tag, Frau Müller! Hier ist ein Einschreibebrief für Sie. Würden Sie mir hier bitte den Empfang bestätigen?

2. Ach, jetzt ist mir der „Dreizehner"-Bus doch direkt vor der Nase weggefahren; so ein Ärger!

3. Gut, ich möchte dann den dreiwöchigen Urlaub auf den Bahamas buchen; stellen Sie mir die Tickets und alles andere zusammen!

4. „Schalke 04 gegen Bayern München 4:3 („vier zu drei")." Hurrah, das sind 11 Richtige im Fußballtoto!

5. Guten Tag, ich komme vom Meinungsforschungsinstitut „Schnelle Frage". Welche Partei gewinnt Ihrer Meinung nach die nächsten Wahlen?

6. Gefällt Ihnen die Hornbrille besser?

7. Mutti, ich habe 200 DM gespart. Was soll ich mit dem Geld machen?

8. (Mutter zur Tochter): „Du wirst in deinem Leben noch viele Fragebögen ausfüllen müssen!"

9. Sag mal, hast du mein neues Rezept ausprobiert?

B. 1. Wie lange haben Sie auf dem Rathaus warten müssen?

2. Schon wieder eine Panne!

3. Wieviel Uhr ist es?

4. Wir haben 4:3 („vier zu drei") gewonnen!

5. Ich hasse Prüfungen.

6. Hallo Liebling, bist du am Apparat? Also, ich komme heute erst sehr spät nach Hause. Zwischen Hannover und Kassel bin ich zweimal im Schnee steckengeblieben.

48

7. Hast du heute gelesen, daß das neugewählte Europaparlament morgen das erste Mal zusammentreten wird?

8. Ich kann den Kerl nicht leiden!

9. Ich kann diese Büchse Ölsardinen nicht aufmachen.

C. 1. Telefonischer Auftragsdienst? Ja, können Sie mich bitte morgen früh um 6 wecken? Meine Nummer ist 07851/4555.

2. Sammelst du Bierdeckel?

3. Gute Besserung, Anton! Das hätte auch schlimmer ausgehen können mit deinem Unfall.

4. Na, wie war's beim Zahnarzt?

5. Fahren Sie mich zur Grimmelshausenstraße 8, bitte!

6. Hier ist Parken verboten. Ich muß leider eine gebührenpflichtige Verwarnung aussprechen.

7. Wo sind eigentlich meine Hausschuhe? Ich kann doch nicht den ganzen Tag in Socken in der Wohnung herumlaufen!

8. Ist es nicht wunderbar, daß im Nahen Osten jetzt Frieden herrscht?

9. Können Sie mir von diesem Schlüssel noch zwei nachmachen?

Zweiter Teil
A. 1. Herr A: Tag, Eduard! Seit wann bist du denn wieder hier?
   Herr B: Sie müssen mich mit jemandem verwechseln; ich war die ganze Zeit hier!

2. Herr A: Gisela, wo ist eigentlich mein Stadtplan von London? Ich brauche ihn dringend.
   Gisela A: Oh, den haben Meiers heute von mir ausgeliehen. Vor einer Stunde sind sie nach London losgefahren.

3. Frau Huber: Von dem Hotelzimmer hatte ich mir mehr versprochen.
   Herr Huber: Du hast auch an allem etwas auszusetzen!

4. Lehrer: Du darfst dir keine „5" mehr leisten, Sabine; sonst wirst du am Ende des Schuljahres nicht versetzt.
   Sabine: Ja, das sagt mein Vater auch.

5. Herr A: Vor der Grenze müssen wir noch Geld wechseln.
   Frau A: Keine Sorge, ich hätte dich schon dran erinnert.

6. Frau A: Warum rufst du denn nicht an, wenn du später kommst, Max? Seit halb fünf sitze ich hier und warte!

Max A: Die Telefonzelle im Betrieb war kaputt, und als ich von der Post aus anrief, war fünfmal besetzt.

7. Herr A: Immer wenn ich aus England zurückkomme, bin ich erkältet.

Frau B: Naja, es gibt wohl schlimmere Krankheiten als das bißchen Schnupfen.

8. Frau Meier: Raucht Ihr Mann auch so stark?

Frau Müller: Ja, 40 Zigaretten pro Tag. Ich mache mir solche Sorgen!

B. 1. Frau Braun: Wenn du morgens nicht früher aufstehst, wirst du nie eine neue Stelle finden.

Herr Braun: Was hat es denn für einen Sinn aufzustehen? Du bist ja auch noch nicht auf!

2. A: Was machst du eigentlich dieses Jahr im Urlaub?

B: Ganz was Besonderes: wir machen eine vierwöchige Mittelmeerkreuzfahrt.

3. Egon: Ja, hier Egon. Bist du am Apparat, Fritz?

Fritz: Ja, was gibt's Neues?

Egon: Nichts weiter. Ich wollte mich nur noch einmal für den schönen Abend bei euch bedanken. Es war eine nette Party.

4. A: Hast du den Artikel im „Hamburger Abendblatt" gelesen?

B: Ja, meine Frau und ich fanden ihn sehr interessant.

5. Herr A: Guten Abend, Herr Ober, ist der Tisch dort hinten noch frei?

Ober: Ja, Herr Bürstner; und was darf ich Ihnen bringen?

6. Schülerin A: Ich finde Herrn Müller nett. Du auch?

Schülerin B: Die meisten finden ihn nett. Ich aber nicht.

7. Schüler: Für unseren Englischlehrer, Herrn Braun, müssen wir diesen Fragebogen ausfüllen.

Mutter: Warum denn?

Schüler: Ich glaube, weil wir nächstes Jahr eine Klassenfahrt machen wollen.

8. A: Wann fährt der Bus nach Stuttgart?

B: Um Viertel vor neun; Fahrzeit eine Stunde.

C. 1. A: Ist der Nachwuchs schon angekommen?

B: Der Arzt meint, das Baby könnte nächste Woche dasein.

2. A: Guten Tag. Ich habe furchtbare Zahnschmerzen, können Sie mir für heute nachmittag einen Termin geben?

B: Leider nicht, Herr Dr. Schulze ist noch im Urlaub.

3. A: Aua! Jetzt habe ich mich doch noch beim Kartoffelschälen geschnitten.
   B: Zeig mal! Ist es schlimm?

4. A: Du, Gisela, wenn ich sage, du bist um 10 Uhr zuhause, dann *bist* du auch um 10 Uhr zuhause, ist das klar!?
   B: Ach, Pappilein, jetzt reg' dich nicht so auf. Uwes Motorrad hatte eine Panne.

5. A: Guten Tag, mein Name ist Meier. Wir sind jetzt Ihre neuen Nachbarn.
   B: Angenehm. Müller.

6. A: Das war eine schöne Taufe, nicht wahr?
   B: Die kleine Klara hatte ein niedliches Taufkleid an!

7. A: Haben Sie die Fernsehröhre ausgewechselt und die Antenne überprüft?
   B: Jawohl, alles in Ordnung. Das Gerät funktioniert wieder bestens. Hier, sehen Sie selbst.

8. A: Ich hab' hier gestern im Ausverkauf einen Anzug mit Weste gekauft. Nun hab' ich zuhause festgestellt, daß er doch nicht so richtig paßt . . .
   B: Und Sie wollen ihn umtauschen?

Dritter Teil

Eine Situation oder Feststellung wird Ihnen *einmal* vorgespielt. Den Text haben Sie vor sich liegen. Sie hören jeweils vier Fortsetzungen dieses Textes. Wählen Sie *die* Fortsetzung, die am besten paßt!

1. Herr Ziegelmeier ist vor dem Fernseher eingeschlafen. So hat er ein Fußballspiel verpaßt, das er sehr gerne gesehen hätte. Er brummt:
   (a) Typisch Fernsehen, Drittes Programm!
   (b) Ich hätte mich wirklich geärgert, wenn ich das Spiel verpaßt hätte!
   (c) Die radioaktiven Strahlen des Fernsehens machen mich immer müde.
   (d) Schade; vielleicht kommen morgen in der Sportschau noch einmal Ausschnitte aus dem Spiel. Und den Sportbericht kann ich ja auch morgen in der Zeitung lesen.

2. In Deutschland wird die Zeit von 1918 bis 1933 „Die Weimarer Republik" genannt. Der Name entstand, weil die Verfassung der jungen Republik in der Stadt Weimar ausgearbeitet wurde. Ein Geschichtsbuch erklärt:
   (a) Weimar war eine schöne, junge Republik Anfang des neunzehnten Jahrhunderts.

(b) In Weimar beschloß man, von 1918 bis 1933 keine Verfassung zu haben.

(c) Weil es in der Hauptstadt Berlin zu unruhig war, arbeitete man die neue republikanische Verfassung in Weimar aus. Daher bekam die Zeit gleich nach dem Ersten Weltkrieg den Namen „Weimarer Republik".

(d) Weil Weimar die Vaterstadt Goethes war, und dort auch eine berühmte Universität ist, wurde Deutschland ab 1933 „Die Weimarer Republik" genannt.

3. Herr Heinzmann beklagt sich bei seinem Nachbarn Baumann darüber, daß Baumanns riesige, dunkle Tanne ihm zum Teil die Aussicht versperrt und ihm im Wohnzimmer das Licht wegnimmt. Herr Baumann antwortet:

(a) Aber Eichen spenden doch im Sommer so schönen Schatten!

(b) Gut, ich kann jetzt einige Zweige herraussägen, und nächstes Jahr kann ich sie vielleicht fällen lassen, dann wäre das Problem ja gelöst.

(c) Ich mache Ihnen einen Vorschlag: wir setzen die Tanne einfach um — sie ist ja erst 70 Jahre alt — und pflanzen sie hinten im Garten wieder ein, wo sie keinen stört.

(d) Gut, wenn Sie unbedingt darauf bestehen: ich pflanze dort noch zwei Tannen an.

4. Die Studentin Jutta Kleber beklagt sich über die Mensapreise und die hohen Mieten in Heidelberg. Ein Heidelberger meint dazu:

(a) Müssen denn Studenten auch essen und trinken?

(b) Wohnen Sie doch in einem Viersterne-Hotel, da ist es meistens viel billiger.

(c) Da haben Sie recht: die Mensuren waren schon in der Mitte des letzten Jahrhunderts schlimm!

(d) Das stimmt; die Lebenshaltungskosten sind ja auch gestiegen. Trotzdem würde ich mich bei der Uni und bei der Stadt beschweren.

5. Eine auf dem Boden des Grundgesetzes stehende konservative Partei in der Bundesrepublik bereitet sich auf den Wahlkampf vor. Ein Werbetexter schlägt Wahlslogans vor:

(a) Für Kaiser, Volk und Vaterland!

(b) Freiheit statt Sozialismus!

(c) Es geht auch ohne Bundestag!

(d) Revolution statt Tradition!

6. Eine auf dem Boden des Grundgesetzes stehende linksgerichtete Partei in der Bundesrepublik bereitet sich auf den Wahlkampf vor. Ein Werbetexter schlägt Wahlslogans vor:

(a) Das Alte bewahren! Darum: keine Experimente!

(b) Es geht auch ohne Parlament!
(c) Für einen demokratischen Sozialismus!
(d) Freiheit oder Sozialismus!

7. Max hatte sich mit seiner Freundin um 19.30 Uhr am Kino verabredet.
Sie kommt eine halbe Stunde zu spät. Er knurrt ärgerlich:
(a) Ich habe schon einmal den Bus verpaßt.
(b) Warum folgst du mir überall nach?
(c) Mußt du so spät kommen?
(d) Reichlich spät! Es ist schon halb neun!

8. Anna muß unbedingt noch einen wichtigen Text tippen. Als sie halb
fertig ist, geht die Schreibmaschine kaputt.
Sie stöhnt:
(a) Oh, der Uhrmacher hat ja schon zu!
(b) Ach, der Text war ja nicht so wichtig.
(c) Da muß ich schnell von Fritz eine Schreibmaschine borgen.
Hoffentlich ist er zuhause.
(d) Ich hätte doch die Handbremse besser anziehen sollen!

9. Der Herausgeber einer Jagdzeitschrift bespricht mit seinen Mitar-
beitern die nächste Ausgabe. Er schlägt unter anderem vor:
(a) Wir müssen möglichst viele Torszenen und dramatische Zwei-
kämpfe bringen.
(b) Der Bericht über die erste Dampfwäscherei in Deutschland muß
ganz vorne auf die erste Seite!
(c) Hier habe ich einen Bericht aus England über die Hetzjagd mit
Hunden. Dieses Thema ist interessant und auch kontrovers, meine
ich.
(d) Ich hatte gedacht, wir bringen als nächste Nummer die Sonder-
nummer über chinesisches Porzellan heraus.

10. Das Schloß „Sanssoucis" war das Lieblingsschloß Friedrichs des
Großen. „Sanssoucis" heißt „ohne Sorgen". Ein Fremdenführer
erklärt:
(a) König Fritz hatte den Beinamen „der Große", weil er immer große
Sorgen hatte.
(b) Friedrich der Große hatte viele Schlösser; aber sein liebstes Schloß
war dieses hier! Er nannte es „Sanssoucis", weil er dort seine
Sorgen vergessen wollte.
(c) Spinne am Morgen — bringt Kummer und Sorgen.
(d) König Friedrich der Große war nicht ohne Sorgen, wenn er in dem
Schloß „Sanssoucis" wohnte.

11. Helga hat eben einen Artikel über den verschmutzten Rhein gelesen.
Sie klagt:
(a) Der Wasserweg ist doch der billigste.
(b) Es wird Zeit, daß endlich einmal etwas gegen Umweltverschmutzung getan wird!

(c) Warum leitet man den Rhein nicht einfach in ein neues Bett um?

(d) Ich freue mich schon sehr auf unsere Schiffsreise auf dem Rhein.

12. Herr Schäfer macht sich große Sorgen um die Versetzung seines Sohnes Karl. Er ruft Karl und sagt zu ihm:

(a) Hier hast du fünf Mark für deine guten Noten.

(b) Warum bist du gestern abend so spät nach Hause gekommen?

(c) Wenn deine schulischen Leistungen nicht besser werden, nehme ich dich von der Schule!

(d) Nur weiter so. Dann wirst du mal was im Leben!

Vierter Teil

Hier hören Sie längere Ausschnitte und Fragen, die damit verbunden sind. Wählen Sie die jeweils passendste Antwort! Die Ausschnitte und Fragen hören Sie zweimal.

1. Eine fast unglaubliche Geschichte aus den USA

Irgendwo im Huron National Forest im US-Bundesstaat Michigan lebt ein Hirsch, der lieber im warmen Auto fährt, als durch den verschneiten Wald zu laufen.

Davon weiß Newell Jensen zu berichten, der mit seinem Wagen zur Arbeit fuhr, als ein Hirsch aus dem Wald trat und gegen die Autotür sprang. Als Jensen anhielt, um nachzuschauen, ob das Tier verletzt war, kletterte der Hirsch durch die offene Tür und ließ sich unter den Vordersitzen nieder. Da Jensen es eilig hatte, rief er das Büro des Sheriffs an.

Als Hilfssheriff Charles Bublitz mit seinem Partner und Jensen die Lage besprach, hüpfte der Hirsch aus dem Wagen, lief ein bißchen herum und kletterte dann wieder ins Auto zurück. Die beiden Hilfssheriffs lockten das Tier schließlich in ihren Streifenwagen, wo es sich auf dem Rücksitz zurechträkelte. „Der Bursche wollte einfach da sein, wo es warm ist", meinte Bublitz. „Wir haben die Heizung voll aufgedreht." Wieder in den Wald gefahren, verließ der Hirsch nur zögernd den Wagen und sah sich noch mehrmals nach dem warmen Unterschlupf um.

1. Was für ein Hirsch lebt im National Forest von Huron?
2. Wann begegnete Mr. Jensen dem Hirsch?
3. Warum hielt Mr. Jensen an?
4. War der Hirsch schwer verletzt?
5. Wen benachrichtigte Mr. Jensen, und warum?
6. Was waren Mr. Bublitz und sein Kollege?
7. Blieb der Hirsch in Mr. Jensens Auto?
8. Was passierte zum Schluß mit dem Hirsch?

2. Aus dem Leben eines Cheyenne-Indianers

Sein Name ist Larry Nichols. Er ist 20 Jahre alt und wuchs in einem Reservat in Kalifornien bei Santa Barbara auf. Dort leben heute etwa 600 Indianer aus verschiedenen Stämmen. Die wichtigsten darunter sind neben den Cheyenne die Comanchen.

Larry Nichols hat noch 14 Geschwister, davon sind fünf seine Halbbrüder und -schwestern. Die Familien wohnen in Wohnwagen. So können sie leicht „umziehen". Zwar sind die Straßen ungeteert, aber doch gut zu befahren. Manche Familien besitzen heute ein Auto, aber nicht alle können es sich leisten. Larry und seine Geschwister haben drei Pferde. In dem unwegsamen Gelände in den Bergen kommen sie mit ihnen besser voran.

Ein Jahr seines Lebens verbrachte Larry bei einer befreundeten weißen Familie außerhalb des Reservates. Als er zurückkam, nahmen die Eltern ihn beiseite, bevor er die Räume betrat und sprachen in ihrer indianischen Sprache zu ihm. Sie fragten, was er in der Zwischenzeit alles getan habe. Sie fragten, um zu sehen, ob er innerlich noch Indianer sei. Er kam mit anderen Kleidern an, und sie wollten sicher sein, daß der weiße Mann nicht auf ihn „abgefärbt" hatte. Nach der Begutachtung riefen sie den Rest der Familie herbei und sagten: „Es ist in Ordnung, ihr könnt jetzt hereinkommen und zu eurem Bruder sprechen, er ist noch immer einer von uns!"

Zu Larrys Geburtstag wird ein Spanferkel gebraten. Die große Familie sitzt vor dem Wohnwagen. Geschenke bekommt Larry nicht. Seine Familie aber bekommt Geschenke von den Stammesangehörigen — immer etwas sehr Verehrenswürdiges: Zähne von einem Bären, den sie getötet haben, Pfeile von Ahnen, ein Stück Fels. Während des Festes wird nicht getrunken oder getanzt. Alle sitzen ruhig im Kreise und reden darüber, was sie während des letzten Jahres getan haben. Die Ältesten des Stammes fragen Larrys Familie: „Was hat euer Sohn getan, um dem Stamm zu nützen?" Es ist gut, daß die Eltern ihren Sohn loben können. Um zwölf Uhr, am Wechsel des Tages, sagen sie: „Sieh, Gott des Alters, dein Sohn hat ein weiteres Jahr vollendet, voller Schwierigkeiten und Arbeit, wir sind stolz auf ihn!"

1. Wo ist Larry aufgewachsen?
2. Wieviele Vollgeschwister hat Larry?
3. Warum kann Larrys Familie leicht „umziehen"?
4. Was taten Larrys Eltern zuerst, als Larry nach einem Jahr zurückkam?
5. Was geschah am Ende der Befragung?
6. Was geschah an Larrys Geburtstag?
7. Wann sagen die Eltern, daß sie stolz auf ihren Sohn sind?

3. „Honar" kam fünfmal

Die zwölfjährige Iranerin Sari will in Teheran in der vergangenen Woche gleich fünfmal Kontakt mit einem „außerirdischen Wesen" gehabt haben. Zeitungen der iranischen Hauptstadt berichteten ausführlich über die Begegnungen mit der über zwei Meter großen Kreatur mit dreimal so langen

Armen wie beim Menschen und einem Fell wie ein schwarzer Pelzmantel, ohne den Verdacht zu äußern, der Besuch vom anderen Stern könnte der Phantasie eines häufig träumenden Kindes entsprungen sein.

Polizeiexperten haben sogar Fingerabdrücke sichergestellt, die nicht von einem Menschen stammen. Und Sari weiß nach den Zeitungsmeldungen zu berichten, daß sich das Wesen mit dem Namen „Honar" vorgestellt und gesagt hat, zehn Lichtjahre sei es der Erde voraus. Sonderbare Lichtstrahlen aus den Augen haben Sari angeblich auch die Fähigkeit zum selbständigen Denken und Handeln genommen.

Bewohner des Hauses, in dem Sari als Dienstmädchen beschäftigt ist, wissen zudem von allerlei Merkwürdigkeiten zu erzählen. So sollen die Möbel mehrere Male wie von Geisterhand verrückt worden sein, das Radiogerät soll sich von selbst angeschaltet haben. Küchengerät habe von selbst geklappert, und von selbst sei das Elektrokabel des Kühlschranks aus der Steckdose gefallen. Sie wollen auch ein völlig verändertes Verhalten und Temperament des Mädchens bemerkt haben.

1. Wem begegnete Sari letzte Woche angeblich mehrmals?
2. Was berichteten die Zeitungen über Honars Aussehen?
3. Woran dachten die Zeitungen angeblich nicht?
4. Wie hat sich das Wesen der Sari vorgestellt?
5. Warum konnte Sari angeblich nicht mehr selbständig denken und handeln, als Honar kam?
6. Von welchen merkwürdigen Dingen wissen die Bewohner des Hauses angeblich zu berichten?

4. Der Mann, den der Tod nicht haben wollte

Ein großes Pflaster klebt über der Platzwunde am Kopf. Die rechte Hand steckt in Gips — und die Beine sind dick bandagiert. Ein Bild des Jammers, dieser achtunddreißigjährige Kunibert Piper. Trotzdem sagt der kräftige Mann mit den schwarzen Haaren lächelnd: „Ich fühle mich wie neugeboren. Mir ist zum drittenmal das Leben geschenkt worden!"

Ja, so ist es: Kunibert Piper ist schon zweimal mit dem Flugzeug abgestürzt: einmal mit der Lufthansa-Maschine in Nairobi, dabei starben 59 Menschen. Das zweite Mal mit einer Privatmaschine — dabei starben vier Menschen.

Im Kreiskrankenhaus von Leutkirch erinnert er sich an den letzten Absturz: „Es war vor drei Wochen. Dichter Nebel über dem kleinen Flugplatz von Leutkirch. Der Pilot flog nur nach Instrumenten. Plötzlich sah ich Bäume. Ich schrie. Zu spät. Ich spürte, wie ich durch die Luft geschleudert wurde. Dann stürzte ich in ein dickes Mooskissen. Es war die einzige weiche Stelle am Berghang . . ."

1974 war Kunibert Piper in dem Lufthansa-Jumbo „Hessen", der kurz nach dem Start in Nairobi abstürzte. Piper fliegt jedes Jahr 400 000 Kilometer um die Welt — „da hat man keine Angst mehr."

Er berichtet über das Unglück: „Ich sah überall Feuer. Meine Kleider brannten. Ich kletterte durch ein Loch in der Bordwand. Dann wälzte ich mich über den Boden und erstickte die Flammen." Kunibert Piper, Vater von zwei Kindern, will weiterfliegen. Seine Frau hat er beruhigt: „Verunglücken kann ich überall. Bisher hat Gott es gut mit mir gemeint. Ich vertraue auf ihn."

1. Warum liegt Herr Piper im Krankenhaus?
2. War dies Herrn Pipers *erster* Unfall mit dem Flugzeug?
3. An welche Details seines letzten Absturzes erinnert er sich zum Beispiel noch?
4. Wieviele Tote gab es bei dem Absturz 1974?
5. Wie ist Herr Piper bei dem Unglück in Nairobi gerettet worden?
6. Will Herr Piper das Fliegen aufgeben?
7. Warum ist Herr Piper nicht beunruhigt?

5. Wachmann verhinderte durch schnellen Einsatz Großbrand

Der alte hölzerne Hafenkran stand in Flammen! Fast mit einer Katastrophe wäre am frühen Sonntagmorgen ein Zwischenfall in der Altstadt ausgegangen. Von Benzin oder Heizöl übergossen, brannten die Seitenwände des historischen Krans am alten Hafen. Aus dem Schlaf gerissene Anwohner rannten entsetzt aus ihren Wohnungen.

Jedoch nur das schnelle Eingreifen von Wachkommando-Mitarbeiter Klaus Meyer, der die Flammen als erster entdeckt hatte, konnte Schlimmstes verhindern. Über Funk alarmierte er die Feuerwehr und holte dann einen Handlöscher aus seinem Einsatzwagen. Als die Feuerwehr wenige Minuten später eintraf, hatte Meyer die lodernden Flammen schon erstickt. Der 34 jährige war gegen vier Uhr auf seiner routinemäßigen Kontrollfahrt durch die Innenstadt: „Da fuhren doch nächtliche Passanten mit ihren Wagen vorbei, ohne sich um das Feuer zu kümmern", berichtet der langjährige Wachdienst-Mitarbeiter.

Verdächtige Personen, die diesen Brand gelegt haben könnten, hat die Polizei bisher noch nicht ausgemacht. Der Wachmann Klaus Meyer vermutet, daß die Täter die Brennflüssigkeit von ihrem Auto aus verschütteten und entzündeten und dann sofort flüchteten.

Unbekannte Täter warfen in der gleichen Nacht Scheiben an den Lagergebäuden einer Firma beim Güterbahnhof ein. Auch diesen groben Unfug entdeckte Meyer während seiner Kontrollfahrt.

Brandstiftungsgefährdet scheint auch das alte leerstehende Haus Fischmarkt 10 zu sein. Schon mehrmals wurden hier Beschädigungen entdeckt und schlafende Stadtstreicher ertappt.

1. Wo genau in der Stadt war ein Feuer ausgebrochen?
2. Was genau brannte?
3. Warum konnte das Feuer so schnell gelöscht werden?

4. War Wachmann Meyer im Dienst?
5. War der Schaden an dem alten Kran der einzige, der in dieser Nacht angerichtet worden war?
6. Was für ein Mann ist Herr Meyer?

6. *Schwerster Schneesturm seit Jahren*

Der seit fast zehn Jahren ärgste Schneesturm, der am Wochenende über dem Nordosten der Vereinigten Staaten niederging, hat New York in eine Schneewüste verwandelt. Zahlreiche Menschen kamen ums Leben.

Die meisten, wie die Polizei mitteilte, starben an Herzschlag beim Schneeschaufeln. Der Bürgermeister verhängte über die Millionenstadt den Notstand. Die sonst überfüllten Straßen im Stadtzentrum Manhattan blieben menschenleer. Die drei Flughäfen mußten gesperrt werden, und Tausende von Fluggästen verbrachten die Nacht in den Wartehallen. Schulen und Autobahnen blieben geschlossen.

Den Behörden zufolge handelte es sich um die heftigsten Schneefälle im Nordosten der USA seit Februar 1969. Tausende von Familien im Gebiet um die Stadt wurden durch Schneeverwehungen von der Außenwelt abgeschnitten. Zahlreiche Einwohner nutzten die Gelegenheit und liefen im Central Park Ski. Sogar auf dem Broadway schnallte eine Frau ihre Bretter an, um vorwärts zu kommen.

Das nationale Zentrum für ansteckende Krankheiten in Atlanta (US-Bundesstaat Georgia) gab bekannt, eine Grippe-Epidemie habe seit Anfang Dezember bereits 45 Todesopfer gefordert. Die Grippe sei in 13 Staaten des mittleren Westens und des Nordostens der USA verbreitet. Bei den Erkrankten handle es sich vorwiegend um ältere Menschen.

1. *Wo* und *wie* war der Schneesturm?
2. Wie sah es in New York während des Schneesturms und kurz danach aus?
3. Woran starben viele Menschen während des Schneesturms und kurz danach?
4. Wo verbrachten viele Flugreisende die Nacht?
5. Was passierte Tausenden von Familien im Gebiet um New York?
6. In welcher Altersgruppe wütete die Grippe-Epidemie am schlimmsten?

IV. Answer-Key to the Multiple-Choice Questions

I. Reading Comprehension

Erster Teil

1. d	5. a	9. b	13. d
2. b	6. b	10. d	14. b
3. b	7. b	11. a	15. c
4. c	8. c	12. c	

Zweiter Teil

1. Innsbruck mit Schneegarantie und Tiroler Spezialitäten

1. c	4. a
2. b	5. a
3. b	6. d

2. Riesengeschäft mit der Sehnsucht der Elvis-Fans

1. c	5. d
2. b	6. b
3. d	7. c
4. c	

3. Vom Frührentner zum Münzsammler

1. c	4. d
2. a	5. b
3. b	6. a

4. Singapur

1. c	5. b
2. d	6. c
3. c	7. b
4. c	

5. Das Pentagon

1. c	4. d
2. b	5. b
3. b	6. b

6. Der Kalifornien-Aquädukt

1. b	5. b
2. c	6. b
3. c	7. a
4. b	

7. Die Geschichte von dem Honigtropfen

1. c	4. d
2. b	5. b
3. d	

8. Der kluge Richter

1. b	5. d
2. c	6. b
3. b	7. a
4. a	8. b

9. Aus: „Es wird etwas geschehen"

1. a	5. a
2. b	6. d
3. b	7. a
4. c	

II. Listening Comprehension

Erster Teil

A.		B.		C.	
1. c		1. c		1. d	
2. c		2. d		2. c	
3. d		3. c		3. c	
4. b		4. d		4. d	
5. d		5. b		5. c	
6. b		6. d		6. a	
7. c		7. b		7. b	
8. a		8. a		8. b	
9. a		9. c		9. c	

Zweiter Teil

A.		B.		C.	
1. c		1. a		1. b	
2. c		2. b		2. a	
3. c		3. c		3. d	
4. c		4. d		4. b	
5. c		5. c		5. c	
6. c		6. a		6. b	
7. d		7. d		7. d	
8. b		8. c		8. a	

60

Dritter Teil

1. d	5. b	9. c
2. c	6. c	10. b
3. b	7. c	11. b
4. d	8. c	12. c

Vierter Teil

1. Eine fast unglaubliche Geschichte aus den USA

1. c	5. b
2. a	6. b
3. a	7. a
4. c	8. d

2. Aus dem Leben eines Cheyenne-Indianers

1. b	5. a
2. b	6. b
3. a	7. c
4. b	

3. „Honar" kam fünfmal

1. c	4. c
2. a	5. b
3. a	6. b

4. Der Mann, den der Tod nicht haben wollte

1. d	5. b
2. a	6. d
3. a	7. c
4. b	

5. Wachmann verhinderte durch schnellen Einsatz Großbrand

1. c	4. d
2. b	5. c
3. c	6. a

6. Schwerster Schneesturm seit Jahren

1. b	4. c
2. b	5. c
3. d	6. b

V. Key to the Retranslation and Practice Sentences

1.1 A. 1. Das Baby wurde in einem Krankenhaus geboren. 2. Es wurde in einer evangelischen Kirche getauft. 3. Das junge Paar wurde von einem katholischen Pfarrer getraut. 4. Sie wurden von ihren Enkelkindern besucht. 5. Der alte Mann wurde nicht eingeäschert, sondern begraben.

B. 1. Das kleine Mädchen begann zu krabbeln und zu plappern. 2. Er begann, seinen Lebensunterhalt zu verdienen. (Er begann zu arbeiten.) 3. Er begann, an der Universität Tübingen zu studieren. (Er nahm sein Studium an der Universität Tübingen auf.) 4. Er begann, als Architekt zu arbeiten. 5. Er begann, mit Hilfe eines Stockes (am Stock) zu gehen.

C. 1. Im Alter von drei Jahren (mit drei Jahren). 2. Nach einem Jahr. 3. Mit der Zeit. 4. Ein Mann in mittleren Jahren. 5. Häufig/ regelmäßig/allmählich/zunehmend/immer.

D. 1. Er verliebte sich in ein nettes Mädchen. 2. Er heiratete sie. 3. Der Pastor traute sie. 4. Sie wurden fünf Jahre später geschieden.

1.2 1. Einige Wochen nach seiner Geburt (. . . nachdem er geboren war . . .) wurde (s)eine Geburtsurkunde ausgestellt (Eine G. wurde einige Wochen nach . . . ausgestellt). 2. Die Eltern mußten ein Formular ausfüllen, um Kindergeld für ihren Sohn zu bekommen. 3. Der Direktor [über]gab dem achtzehnjährigen Jungen (jungen Mann) sein Abiturzeugnis. 4. Von der Wiege bis zur Bahre muß jeder (muß man) viele Formulare ausfüllen. 5. Der Doktor stellte beim Tod(e) meines Bruders einen Totenschein aus.

1.3 1. Das achtjährige Mädchen hatte lange blonde Zöpfe, Sommersprossen und Grübchen, und einer ihrer Milchzähne fehlte. 2. Sie war groß für ihr Alter (Für ihr Alter war sie groß), und (sie) lispelte leicht. 3. Friedrich war ein typischer Heranwachsender (Jugendlicher): er war schüchtern und zurückhaltend, und [er] stotterte oft vor Verlegenheit. 4. Er war [gerade] im Stimmbruch, und er hatte pick(e)lige Haut. 5. Die deutsche Stewardeß war schlank und hatte eine gute Figur und attraktive (anziehende) lange Beine. 6. Sie hatte leuchtende, blaue Augen, ihre (Augen)wimpern waren lang, und sie brauchte nur wenig Make-up. 7. Der Kapitän des Fischdampfers war ein gutaussehender, hochgewachsener (großer), breitschultriger Mann mit rotem, lockigem (gelocktem) Haar, einem wettergebräunten (vom Wetter gezeichneten) Gesicht [und] einem festen Kinn, und er hatte eine Pfeife zwischen seinen zusammengekniffenen Lippen. 8. Er trug einen dunkelblauen (marineblauen) Rollkragenpullover unter dem (seinem) gelben Ölzeug, und auf dem Kopf hatte er (und er trug . . .) eine Schiffermütze. 9. Die ältliche Putzfrau hatte eine laute, schrille, durchdringende Stimme. 10. Sie hatte Sinn für Humor, aber sie war nicht mehr so beweglich [wie früher], weil (da) sie Übergewicht hatte.

1.5 A. 1. Opa Meier brüllte vor Lachen. 2. Onkel Max freute sich wie ein Schneekönig. 3. Tante Berta wieherte vor Lachen. 4. Herr Kohlmann schmunzelte vor sich hin. 5. Herr Schulze lächelte verstohlen. 6. Ein Teenager kicherte albern. 7. Frau Meier schüttelte sich vor Lachen. 8. Ein junger Mann lachte Tränen. 9. Herr Wanten strahlte die anderen fröhlich an. 10. Herr Müller grinste schelmisch. 11. Herr Meier hatte eine guten Witz erzählt.

B. 1. Sie wurde aschfahl und begann wie Espenlaub zu zittern. 2. Ihnen zitterten die Knie vor Furcht (Ihre Knie zitterten . . .). 3. Die Haare standen ihm zu Berge (Ihm standen . . .). 4. Ihm brach der kalte Schweiß aus (Der kalte Schweiß . . .). 5. Ich zitterte vor Angst (Furcht).

C. 1. Sie war nahe daran, in Tränen auszubrechen (. . . daran, zu weinen/. . . den Tränen nahe). 2. Das kleine Mädchen weinte, weil es sich wehgetan (verletzt) hatte. 3. Das Baby heulte laut in seinem Gitterbett. 4. Die alte Frau weinte leise (still) vor sich hin. 5. Die Tränen flossen ihr die Wangen hinunter (Ihr flossen die Tränen . . .) 6. Ihre Augen waren vom Weinen (vor Weinen) gerötet und geschwollen.

D. 1. Sie wurde vor Verlegenheit rot. 2. Sie schlug vor (aus) Schüchternheit (Sie schlug schüchtern . . .) die Augen nieder. 3. Sie kaute aus (vor) Nervosität und Unsicherheit auf (an) den Nägeln.

E. 1. Das Gesicht des Grafen verzerrte sich wütend. (Der Graf verzerrte wütend sein Gesicht.) 2. Er versuchte, seine Fassung wiederzugewinnen. 3. Sogar der Butler schaute entrüstet (drein) und runzelte seine Stirn. 4. Seine Nase bebte (zitterte) (Seine Nasenflügel bebten (zitterten)) vor Wut. 5. Frau Meier kochte vor

Wut. 6. Sie schaute (sah) ihren Mann wütend (ärgerlich) an.

F. 1. Er ist immer eifersüchtig auf seinen Bruder gewesen. 2. Er war auf sein neues Auto neidisch. (Er beneidete ihn um ·...) 3. Sie platzte vor Neid. 4. Die Eifersucht nagte an ihm, und er vermutete alles Mögliche. 5. Wegen seiner Eifersucht machte er seiner Frau eine Szene. (Er machte seiner Frau eine Eifersuchtsszene.) (Wegen seiner Eifersucht bekam er Krach mit seiner Frau.)

G. 1. Er konnte einen Hoffnungsschimmer sehen. 2. Ich drücke dir die Daumen (... für dich). 3. Hoffentlich sehen wir uns bald (einmal) wieder!

1.6   1. Er war blau. 2. Er sah schwarz. 3. Es wirkt wie ein rotes Tuch auf mich. 4. Ich sah rot. 5. Er hat blaues Blut in den Adern. 6. Er war ein Schwarz(fern)seher (Er hat schwarz ferngesehen). 7. Schneewittchen und Rotkäppchen. 8. Ich habe es auf dem Schwarzen Markt gekauft. 9. Ich hatte keinen roten Heller (mehr). 10. Er wurde von den Rothäuten getötet. 11. Das Rote Kreuz half ihm. 12. Sie war ein Blaustrumpf.

1.8   1. Er raufte sich die Haare vor Wut. 2. Sie hat Haare auf den Zähnen! 3. Er ist ein kluger Kopf. 4. Er ist ganz Ohr. 5. Er hat ein Ohr für Musik. 6. Klingen Ihnen nicht die Ohren? 7. Er hat zwei Gesichter. 8. Er machte (zog) ein langes Gesicht. 9. Ich muß ihn im Auge behalten. 10. Gehen Sie immer der Nase nach! 11. Ich habe die Nase voll (... habe genug) [davon]. 12. Er hat ein blaues Auge. 13. Er rieb sich das Kinn. 14. Er tat es hinter meinem Rücken. 15. Sie zeigte ihm die kalte Schulter. 16. Er zuckte mit den (... zuckte die) Schultern (Achseln). 17. Sie gingen Arm in Arm. 18. Er hat zwei linke Hände. 19. Er ist wieder auf den Beinen. 20. Er steht mit einem Fuß im Grabe.

2.1   1. Heutzutage tragen die Leute (trägt man) keine(en) Lendenschurz(e) (mehr). 2. Im Mittelalter trugen die Ritter Rüstungen. 3. Ein berühmtes Gemälde Heinrichs VIII (von Heinrich VIII) zeigt ihn in einem knielangen Wams. 4. Elizabeth I trug gerne lange Kleider mit Spitzenkragen. 5. Zu seiner Hochzeit trug mein Vater Frack und Zylinder. 6. Geschäftsleute trugen früher Melonen (Halbzylinder). 7. Ich finde Nationaltrachten sehr interessant. 8. Inderinnen in Saris sehen sehr attraktiv aus. (... sehen in Saris ...). 9. Die Engländer glaubten (meinten, dachten, waren der Ansicht), daß alle Deutschen Lederhosen, lange weiße Wollsocken, karierte Hemden und Gamsbarthüte tragen (trugen). 10. Sollte ein Inder auf einem Motorrad einen Sturzhelm (an)statt eines Turbans tragen?

64

2.2 1. Der Mensch (Die Menschen) wird (werden) beeindruckt und beeinflußt von der Mode, nicht wahr? (... wird doch ... beeinflußt.) 2. Viele Männer und Frauen sind Sklaven der Mode. 3. Alle paar Jahre kommen neue Moden auf. 4. [Die] Leute werden oft von Modehäusern und Textilfirmen manipuliert. 5. Ihr Mann kaufte einen Anzug von der Stange. 6. Er ließ sich einen maßgeschneiderten Anzug machen. (Er ließ sich ... maß-schneidern.) 7. Ihre Bluse war aus Baumwolle. 8. Hübsche Mannequins führen elegante und interessante Kleider in schicken Modenhäusern vor. 9. Modeschöpfer haben manchmal seltsame (komische) Ideen. 10. Der „letzte Modeschrei" (dernier cri, die neuste Mode) wird oft von Versandhäusern, Kaufhausketten und Boutiquen nachgemacht.

2.3 1. Nachdem Max sein Hemd angezogen hatte, knöpfte er es zu. 2. Er zog seine Hose an, zog den [Hosen]reißverschluß hoch und machte seinen (den) Hosengürtel zu (schnallte ... zu). 3. Nachdem er seine Schuhe zugemacht (zugebunden) hatte, zog er seinen Schlips zurecht. 4. Im Büro zog er seinen Mantel aus und hängte ihn auf einen Kleiderbügel. 5. Seine Frau zog ihren Slip (Schlüpfer) und ihren Büstenhalter (BH) an. 6. Nachdem sie ihren BH zugehakt hatte, zog sie ihren neuen Rock und eine enge Bluse über, die sie zuknöpfte (... und knöpfte sie zu). 7. Ehe (Bevor) sie zu Bett ging, zog sie sich aus und nahm ein Bad. (Sie zog sich aus und nahm ein Bad, bevor ...) 8. Sie zog ein frisches Nachthemd an.

3.1 A. 1. Im Atom- und Raketenzeitalter. 2. Es ist [uns] schon fast selbst-verständlich (wir nehmen es schon fast als selbstverständlich hin). 3. Uns erscheint das kaum noch erwähnenswert. 4. Und doch hat es Tausende von Jahren (Jahrtausende) gedauert. 5. Im Laufe der Jahrhunderte. 6. Vielleicht ist es genug (genügt es), wenn wir ein wenig (ein bißchen) über das (vom) Klima wissen.

B. 1. Die Erde besteht zu 71% (Prozent) aus Meeres- und zu 29% aus Festlandflächen. 2. Die größten Ozeane sind der Atlantische Ozean (Atlantik) und der Pazifische Ozean (Pazifik, der Stille Ozean). 3. Berge und Täler/Wälder und Seen/Ströme (große Flüsse) und Wadis/Sümpfe und Wüsten/Inseln und Festland (*rarely* Festländer/Erdteile/Kontinente). 4. ein feuchtes/halb-feuchtes/trockenes/tropisches/subtropisches Klima.

3.2 A. 1. Der Himmel war bedeckt/bewölkt (wolkig)/wolkenlos/heiter (der Himmel lachte). 2. die Wettervorhersage (der Wetterbericht) war schlecht. 3. Es ist nicht so kalt wie gestern. 4. Es könnte wärmer sein. 5. Einige [Leute] messen die Temperatur (messen Temperaturen) in Fahrenheit, andere in Celsius.

B. 1. Es dunkelt (Es wird dunkel). 2. Es friert. 3. Es klärt sich auf. 4. Es schneit. 5. Es regnet. 6. Es taut. 7. Es donnert. 8. Es blitzt. 9. Es hagelt. 10. Es dämmert (Es wird hell).

3.3 A. 1. Nach der Entdeckung Amerikas wurden die Begriffe, „Alte Welt" und „Neue Welt" geprägt (. . . prägte man . . .). 2. Die reichen Länder sind hochindustrialisiert und haben (besitzen) ausreichend(e) (Vorräte an) Rohstoffe(n) und Bodenschätze(n). 3. Die „Dritte Welt" besteht aus [den] Entwicklungsländern. 4. Die „Vierte Welt" ist sehr arm und ist weder industrialisiert, noch hat sie Rohstoffe und Bodenschätze (und hat weder . . . noch . . .).
B. offensichtlich / heutzutage / glücklicherweise / noch nicht / meist(ens) / sogar.

3.4 A. 1. im Altertum. 2. unter den römischen Kaisern. 3. lange Zeit. 4. nach dem Zweiten Weltkrieg. 5. andererseits.
B. 1. Viele afrikanische Staaten müssen (immer) noch als Entwicklungsländer bezeichnet werden (Man muß . . . bezeichnen). 2. Zu wirtschaftlichen Sorgen kommen noch Probleme der Entkolonialisierung, Rassenkonflikte und innenpolitische Spannungen. 3. Immer mehr (Mehr und mehr) Staaten erlangten ihre Unabhängigkeit (. . . haben . . . erlangt). 4. Neu entstandene Staaten haben sich oft neue Namen gegeben (gaben . . . sich). 5. Die afrikanischen Staaten treiben die verkehrstechnische, landwirtschaftliche und industrielle Entwicklung energisch voran.

3.5 A. 1. v. Chr. 2. n. Chr. 3. im Laufe der Zeit.
B. 1. die arabischen Staaten. 2. der Islam. 3. die arabische Welt. 4. der Libanon. 5. der Irak. 6. die Vereinigten Arabischen Emirate. 7. Ägypten. 8. der Sudan. 9. der Iran (Persien). 10. Saudi-Arabien.
C. 1. Arabien ist die Wiege des Islam. 2. Insgesamt leben dort mehr als fünfundsiebzig (75) Millionen Menschen. 3. Schätzungsweise liegen zwei Drittel unserer Erdölvorräte (der Ölvorräte der Erde) unter den Wüsten der arabischen Halbinsel. 4. Viele arabische Länder (Staaten) haben immer mehr (mehr und mehr) (an) wirtschaftliche(r) und politische(r) Bedeutung gewonnen.

3.6 A. im Norden/im Süden/im Osten/im Westen/in der Mitte Europas.
B. die Oder-Neiße-Linie/die Ostsee/die Nordsee/die Alpen

4.1 1. Das Wasser schwappte unaufhörlich an den Kai. 2. Der Geruch von Salz und [der] See war überall in der Luft des kleinen Fischerdorfs (war in dem kleinen ... überall in ...). 3. Kein Zeichen (Nichts) deutete darauf hin, daß Menschen in dem einsamen Leuchtturm wohnten (lebten). 4. Ab und zu (Von Zeit zu Zeit) konnte ich die Gischtspritzer [der Wellen] sehen und das Peitschen des Regens hören. 5. Nachdem er den stillen Fluß hinaufgerudert war, machte er [das Boot] unter einer schattigen Weide (unter einem schattigen Weidenbaum) fest. 6. Würde einer der Karpfen wohl bei dem Angler anbeißen, der dort drüben auf der Steinbrücke saß (Würde der Angler ... wohl ... fangen)? 7. Der Schnee begann schon zu schmelzen. 8. Auf dem [Berg]gipfel war (wehte) ein eisiger Wind.

4.2 1. Die Elbe entspringt an (in) einem Berg in der Tschechoslowakei. 2. Der Bach schlängelte sich gemächlich (ruhig) durch das Tal. 3. Erst als der Fluß sich durch das Gebirge gefressen hatte, wurde er schiffbar. 4. Es ist nie ratsam, in einem unbekannten Fluß zu schwimmen wegen der Strudel und der starken Strömung(en) (Wegen der ...). 5. Bald (Kurz) hinter Hamburg weitet sich der Fluß zu (s)einer (zur) Mündung aus und fließt in die Nordsee.

4.3 A. 1. Auf den ersten Blick schien die Wüste völlig tot [zu sein]. 2. Man bekam unwillkürlich das (dieses) Gefühl des ewigen Durstes. (Man konnte nicht umhin, das Gefühl ... zu bekommen/zu haben.) 3. Die Sanddünen rollten wie Wellen meilenweit vom Vordergrund des Bildes zum Horizont. 4. Im Mittelgrund (des Bildes) konnte man eine Oase sehen (sah man ...), die von einigen Palmen umgeben (umstanden) war (... war eine Oase, umgeben von ... zu sehen). 5. Im Hintergrund konnte man die Umrisse eines Beduinenlagers erkennen.

B. 1. irgendwo/irgendwie/irgendwer (irgend jemand)/irgendwann. 2. Die starken Äste der Blume ringelten sich wie Schlangen herunter (hernieder). 3. Gefährliche Krokodile starrten uns von den Ufern des sumpfigen Flusses aus an. 4. Myriaden winziger (von winzigen) Insekten tanzten in der feuchten Luft. 5. Wir hörten die grellfarbigen Papageien in den Bäumen krächzen und sahen einen riesigen Affen eine Banane fressen.

C. 1. Das schwarze Pferd (Der Rappe) wurde vom Bauern vor den Pflug gespannt. 2. Gemütlich seine Pfeife schmauchend (rauchend), begann er (fing er an), die Felder zu pflügen, den Hund an seiner Seite (..., und der Hund lief neben ihm [her].) 3. Die großen Krähen und Raben pickten die Würmer aus der frisch

67

umgeworfenen, noch feuchten Erde. 4. Der Hund begann [mit seinem Schwanz] zu wedeln, als er die Bauerstochter (Bauerntochter, Tochter des Bauern), die das Mittagessen für den Bauern trug, über die angrenzende Wiese gehen sah (. . . gehen sah; sie trug das Mittagessen . . .). 5. Ich sitze gern(e) in einem Kornfeld, umgeben von Mohnblumen und tiefblauen Kornblumen, und beobachte (dabei) gern(e) die summenden Bienen und die hastig dahineilenden Käfer bei der (an der) Arbeit/am Werk.

4.4   1. Ich mag Wiesenblumen besonders gern(e). Als ich noch jünger war, pflückte ich [immer] Butterblumen, Gänseblümchen und Löwenzahn. 2. Jeden Abend begießt mein Vater die Blumen — die Mauerblümchen, die Rosen, die Stiefmütterchen, die Nelken — also eigentlich alle (praktisch alle) (. . . begießt mein Vater praktisch, tatsächlich, eigentlich alle Blumen . . .). 3. Die Eiche (Der Eichbaum) ist ein Symbol für Härte, Standfestigkeit, Treue und Verläßlichkeit. 4. Cricketschläger werden aus Weidenholz gemacht. 5. Manche [Leute] mögen Laubbäume gerne, weil sich im Herbst die Farbe ihrer Blätter ändert, andere wiederum (hingegen) mögen lieber Nadelbäume, weil sie (diese) den ganzen Winter [über] grün bleiben.

5.1   1. Der Wasserstand des Flusses stieg infolge anhaltenden Regens und der Schneeschmelze (des schmelzenden Schnees). 2. Der Fluß trat über seine Ufer. 3. Zum Glück kam(en) keine Menschen (niemand) ums Leben. 4. Hunderte von Kühen ertranken. 5. Einige Familien mußten vor dem Wasser auf die Dächer ihrer Häuser (auf ihre Hausdächer) fliehen (flüchten), und (sie) wurden in den frühen Morgenstunden von Soldaten in Schlauchbooten gerettet.

5.2   1. Das Erdbeben hat mehr als 1000 Opfer (Tote) gefordert. 2. Die Überlebenden sind evakuiert [worden] und in Notunterkünften und Zelten untergebracht worden (. . . wurden evakuiert und wurden . . .). 3. Andere sind in Krankenhäuser eingeliefert worden. 4. Verpflegung (Essen) und Medikamente sind von den Freiwilligen des Internationalen Roten Kreuzes verteilt (ausgegeben) worden. 5. Vorräte sind von vielen Ländern eingeflogen worden (. . . wurden . . . eingeflogen). 6. Die Suche nach eventuellen (möglichen) Überlebenden ist in vollem Gange. 7. Wegen [der] Plünderungen hat die Regierung den Ausnahmezustand ausgerufen und das Kriegsrecht verhängt. 8. Wegen der Hitze ist die Seuchengefahr besonders groß. 9. Die Leichen sind eingeäschert, bzw. begraben worden. 10. Massenimpfungen sind vorgenommen worden (Man nahm M. vor), um den (dem) Ausbruch von Typhus zu verhindern.

6.1   1. In früheren Zeiten (Früher) begann der Mensch ganze Tierarten auszurotten. 2. Er holzte geldgierig (aus Geldgier) ganze Wälder ab. 3. Es warnte allenfalls (höchstens, nur) der Jäger oder der Förster vor diesem Raubbau an der Natur. 4. Vor zweihundert Jahren schütteten die Leute einfach [ihre] Abfälle und Abwässer auf die Gasse (Straße) vor dem Haus. 5. Heute (Heutzutage) ist [uns] der Zusammenhang zwischen mangelhafter Hygiene und Krankheit und Seuchen natürlich klar.

6.2   1. Kunstdünger laugt (laugen) den Boden oft derartig aus, daß er versandet. 2. Unkrautvernichtungsmittel vernichten nicht nur Unkraut, sondern oft auch Blüten und Blumen und nützliche Insekten. 3. Vögel, Bienen und Schmetterlinge finden weniger Nahrung, weil Blüten und Blumen zerstört [worden] sind (wurden). 4. Insektenvernichtungsmittel (Insektizide) sickern in den Boden und gelangen so in Seen und Flüsse und richten auch dort Schaden an.

6.3   1. Ohne Wasser können wir nicht leben. 2. Im Jahre 3000 wird die Erdbevölkerung viermal soviel Wasser wie heute benötigen (... benötigen wie heute). 3. Wir müssen mit unserem Wasser sparsam umgehen. 4. Fische sterben an Sauerstoffmangel. 5. Fische sind (Fisch ist) wichtig wegen ihres (seines) hohen Proteingehalts (Wegen ...). 6. Öltanker verursachen manchmal Ölkatastrophen. 7. Ölteppiche treiben an(s) Land, [und] töten Fische und Seevögel und ruinieren (verunreinigen) die Strände. 8. Die Strände müssen unter großen Kosten (unter großem Kostenaufwand) gereinigt (gesäubert) werden.

6.6   1. Viele [Leute] werden durch [den] Lärm am Arbeitsplatz nervlich geschädigt. 2. Donnernde Düsentriebwerke verursachen ohrenbetäubenden Lärm. 3. Sogar auf dem Lande kann man den Lärm von Transistorradios, Kassettengeräten (Kassettenrecordern), tragbaren Fernsehgeräten und dazu noch Traktoren und Mähdrescher hören. 4. Lärm erzeugt Streß. 5. [Der] Puls und [der] Atem beschleunigen sich (werden beschleunigt), der Blutdruck steigt, und der Schlaf wird gestört.

7.1   A. 1. Die Erfindung des Ottomotors (Verbrennungsmotors) war für den Straßenverkehr von (sehr) großer Bedeutung. 2. Fünf Millionen Personen(kraft)wagen (PKWs) werden pro Jahr beim TÜV vorgeführt (... müssen pro Jahr zum TÜV). 3. Dampfschiffe waren schneller als Segelschiffe, weil sie windunabhängig (vom Wind unabhängig) waren. 4. Passagierdampfer

69

wurden immer größer (größer und größer) und konnten mehr Menschen aufnehmen. 5. Im neunzehnten Jahrhundert erschloß (-ssen) die Eisenbahn(en) Hunderte von riesigen neuen Gebieten, besonders in Europa und Amerika. 6. (Die) altmodische(n) Dampflokomotiven (Die alten „Dampfrösser") wurden bald von Diesel- und Elektrolokomotiven abgelöst (ersetzt).

B. 1. Der Mensch hatte schon immer den Wunsch, fliegen zu können (Wunsch zu fliegen). 2. Die Rüstungsindustrie(n) des Zweiten Weltkriegs brachten Überschalldüsen- und Langstreckenflugzeuge, sowie die ersten Raketen hervor. 3. Hubschrauber und Senkrechtstarter wurden für militärische Zwecke entwickelt. 4. Heute fliegen Düsenriesen (Jumbo Jets) (auf) alle(n) wichtige(n) Transport- und Passagierrouten (Passagierlinien). 5. Die Welt ist klein geworden ((er)scheint kleiner) durch die (aufgrund/wegen der) Erfindung des Telefons, des Radios und der Satelliten. (Durch die Erfindung des Telefons ... ist ... kleiner geworden.) 6. Satelliten geben uns Auskunft über das Wetter.

C. 1. Durch den Weltverkehr wurde die Weltwirtschaft erst möglich. (Nur durch ...) 2. Länder und Kontinente schienen näher zusammenzurücken. 3. Die Erde scheint kleiner geworden zu sein. (Die Erde ist „kleiner" geworden/Die Erde ist scheinbar kleiner geworden/Es scheint, als ob die Erde kleiner geworden ist.)

7.2   1. Ein Kanaltunnel wird vielleicht gebaut werden. (Vielleicht wird ...) 2. Die technischen Probleme des Elektroautos werden wahrscheinlich in absehbarer Zeit gelöst worden sein. (Wahrscheinlich ...) 3. In der Zukunft werden sich Luftkissenfahrzeuge steigender Beliebtheit erfreuen. 4. Die gegenwärtigen ((schon) bestehenden) Flughäfen werden bald erweitert werden müssen. 5. Bis zum Jahre 2000 werden die ersten interkontinentalen Raketen für den zivilen Luftverkehr in Betrieb genommen worden sein.

8.4 A. 1. Ein Autobesitzer muß mit vielen Mehrausgaben und Steuern rechnen. 2. Öl und Benzin sind wegen der (durch die) Energiekrise sowieso (ohnehin) teuer. 3. Hohe Benzinsteuern verursachen ein weiteres Anwachsen (Ansteigen) der Benzinpreise. 4. Der Autofahrer muß seinen Wagen versichern [lassen] und muß in manchen Ländern Kraftfahrzeugsteuern (be)zahlen. 5. Wenn der Autofahrer seinen Wagen nicht selber reparieren kann, muß er für Wartung [und Instandsetzung] [seines Wagens] viel Geld bezahlen (ausgeben).

70

8.4　B　1. Während der Hauptverkehrszeit(en) fahre ich nie in die Stadt.
2. Mit diesem Problem ist das Parken eng verbunden (verknüpft).
3. Ich parke mein Auto immer in einem Parkhochhaus oder an
einer Parkuhr. 4. Heute (Heutzutage, Jetzt) haben viele Städte
Fußgängerzonen. 5. Um einen zügigen Verkehrsfluß zu erreichen,
werden in [den] Großstädten mehr und mehr Einbahn-
straßensysteme geschaffen. (In [den] Großstädten werden . . .)

9.2　A.　1. Was immer Sie (man) von dem Raumfahrtprogramm halten
(hält) (Wie immer Sie zu dem Raumfahrtprogramm stehen
mögen), sind eine ganze Reihe von (viele) nützliche(n)
Nebenerfindungen dabei gemacht worden (sind es dabei . . .
gemacht worden). 2. Hitzebeständige Metalle, wie (z.B.) Teflon,
werden häufig (oft) zu (für) Küchengeräte(n) verwendet. 3. Neue
(Neuartige) Plastikstoffe und neue Glasfaserarten (Arten, Typen
von Glasfasern) sind entwickelt worden. 4. Große Fortschritte
sind in [den Bereichen] der Computer-, Transistor-, Photo-und
Kleinstgerätetechnik gemacht worden. 5. Viele physiologische
Fragen (Probleme) der Schwerelosigkeit und des menschlichen
Verhaltens im Weltall sind geklärt (gelöst) worden. (Über viele
. . . fand man Aufschluß.)

　　B.　1. Seit der ersten Mondlandung haben Wissenschaftler der USA
und der Sowjetunion (. . . amerikanische und sowjetische W.) ihre
Experimente (Versuche) im All (Weltraum) fortgesetzt. 2.
Kosmonauten haben längere Zeiten im All (Weltraum) und in
Weltraumlaboren verbracht. 3. Ehrgeizige unbemannte Flüge
(Weltraumsonden) sind geplant und zum Teil (schon) durchgeführt
(ausgeführt) worden. 4. Wetter- und Forschungssatelliten sind
entwickelt worden. 5. Leider (Unglücklicherweise) hat die
Entwicklung von raffinierten militärischen Satelliten und Raketen
ebenfalls (auch) große Fortschritte gemacht. 6. Das friedliche
technische Wettrennen (Der . . . Wettlauf) im All könnte zu einem
gnadenlosen Wettrüsten werden.

　　C.　1. Unbekannte Flugobjekte (UFOs). 2. fliegende Untertassen. 3.
antennenbewehrte grüne Männlein. (Grüne Männlein mit
Antennen.) 4. Marsmenschen. 5. außerirdische Wesen. 6. Kriege
zwischen Planeten. 7. Invasionen aus dem Weltall. 8. Wer weiß?

10.1　　1. Die Begriffe „Staat" und „Kirche" gehören eng zusammen. 2.
„Kirche" ist eine (die) Bezeichnung für das christliche Gotteshaus.
3. „Aufgabe des Staates ist es, die Menschen zur Tugend zu
erziehen" ist ein Zitat aus den Gedanken Platos, der 347 v. Chr.
starb (gestorben ist). 4. „Religion ist Opium fürs Volk" ist

71

vielleicht eine der berühmtesten Definitionen von Religion (des Begriffes „Religion"). 5. „Der Staat bin ich" ist ein Zitat von Ludwig dem Vierzehnten (XIV.), der (am) Anfang des 18. Jahrhunderts starb (gestorben ist).

10.2   1. Im [Ver]laufe der Geschichte entstanden die großen Weltreligionen: u.a. (unter ihnen sind) das Christentum, das Judentum, der Buddhismus und der Islam. 2. Lange vor Christi Geburt glaubten die Menschen (schon) an heidnische Götter. 3. Die Begriffe Monarchie, Aristokratie, Demokratie und Oligarchie haben wir von den Griechen, und von den Römern haben wir den Begriff Republik. 4. Es gibt viele Staatsformen, die verschiedene Regierungsformen haben.

10.3   1. In [den] christlichen Ländern (Staaten) machte sich [bald] der Konflikt (Gegensatz) zwischen Kirche und Staat bald bemerkbar. 2. Der Papst wurde mächtiger als der Kaiser. 3. Die Kirche im Mittelalter (Die mittelalterliche Kirche) war mit der Rettung der menschlichen Seele beschäftigt. 4. Nach Meinung vieler (Viele waren der Ansicht, daß . . . geriet) geriet die Kirche in sittlichen Verfall; dies führte zum Ausbruch der Reformation. 5. Luthers Lehren spielten auf dem europäischen Festland eine wichtige Rolle. 6. Seit Heinrich dem Achten (VIII.) ist — anstelle (anstatt) des Papstes — der Monarch Oberhaupt der Anglikanischen Kirche (. . . ist nicht mehr der Papst, sondern der Monarch Oberhaupt . . .). 7. Furchtbare Religionskriege, wie (z.B.) der Dreißigjährige Krieg, lösten den Gegensatz zwischen Kirche und Staat nicht. 8. Seit der Mitte des neunzehnten Jahrhunderts tritt Marx den Ideen der Kirche und der Religion mit seiner Materialismusideologie entgegen (. . . ist Marx . . . entgegengetreten). 9. Im letzten Drittel des neunzehnten Jahrhunderts rang Bismarck der Kirche zwei wichtige Machtmittel (Machtinstrumente) ab, als er [nämlich] die staatliche Schulaufsicht und (die) Zivilehe(n) einführte. 10. Der Konflikt (Gegensatz) zwischen Staat und Kirche wird sich nie ganz lösen lassen.

12.2   1. der Bürgermeister. 2. der Oberbürgermeister. 3. der Stadtrat (Gemeinderat). 4. Gemeinderatswahlen. 5. das Rathaus. 6. die Gemeindeverwaltung.

12.3   1. Der Polizist auf Streife[ngang] überprüft, ob alles in Ordnung ist. 2. Der Verkehrspolizist regelt den Verkehr, fährt motorisierte Streifen auf Straßen und Autobahnen und wird bei Verkehrsunfällen gerufen. 3. Politessen (Hilfspolizist(inn)en) schreiben Strafzettel für falsches Parken aus und helfen manchmal, den Verkehr zu regeln (bei der Verkehrsregelung). 4. Verkehrspolizisten in der Bundesrepublik können sofortige Geldbußen verhängen. 5. Detektive beschäftigen sich mit der Aufklärung aller möglichen Verbrechen. 6. Wenn ein Verbrecher auf frischer Tat ertappt wird (worden ist), wird er verhaftet. 7. Er wird dem Untersuchungsrichter vorgeführt. 8. Er kommt in Untersuchungshaft (... wird in ... genommen) und kommt später vor Gericht (wird später vor Gericht gestellt).

12.4   1. Die Feuerwehr verhindert (verhütet) und löscht Feuer. 2. Sie pumpt überflutete Keller aus. 3. Sie birgt Menschen und Tiere bei Überschwemmungskatastrophen. 4. Sie befreit Menschen aus den Trümmern eines Eisenbahnunglücks, einer Flugzeugkatastrophe oder eines Autounfalls. 5. Sie greift auch bei Selbstmordversuchen ein, wobei (indem) sie die (Feuerwehr)leiter ausfährt oder das Sprungtuch (auf)spannt.

12.5   1. Vor 200 Jahren ließen die sanitären Anlagen und die Kanalisation sehr zu wünschen übrig. 2. Die Folge(n) war(en) oft Krankheiten und Seuchen. 3. Heute leeren die Müllmänner Mülltonnen und fahren den Müll ab (nehmen den Müll mit). 4. Straßenfeger fegen die Straßen und sammeln Abfälle und (Abfall)papier [auf]. 5. Städtische und industrielle Abwässer fließen in das unterirdische Kanalisationssystem und werden von städtischen Klärwerken gereinigt (geklärt).

12.6   1. Wenn man krank ist, geht man normalerweise zum Doktor ([praktischen] Arzt). 2. Der Arzt untersucht den Patienten, stellt die Diagnose und schreibt ein Rezept aus. 3. Der Patient legt das Rezept in der Apotheke vor und bekommt [dann] seine Arzneien, bzw. Medikamente (Pillen). 4. Es wird eine geringe Rezeptgebühr erhoben (Es besteht eine geringe R.); der Apotheker bekommt sein Geld von der Krankenkasse des Patienten. 5. Wenn der Patient ein ernsteres Leiden (ernstere Beschwerden) hat (Hat der Patient ...), (dann, so) wird ihn der praktische Arzt zu einem Spezialisten (Facharzt) schicken oder ihn ins Krankenhaus einliefern lassen.

12.7   1. [Die] Post und [die] Bahn sind nicht nur für Handel, Gewerbe und Industrie wichtig, sondern auch für persönliche Kontakte und menschliche Kommunikation (menschliche Kommunikation und Kontakte). 2. Man kann Briefe, Postkarten, Drucksachen, Warenproben, Päckchen und Pakete per Post (mit der Post) (ver)schicken. 3. Mit Zahlkarten und mit Postanweisungen (Per Zahlkarte und per Postanweisung) kann man Geld schicken und [bzw.] überweisen. 4. Bei der Post kann man ein Postscheckkonto eröffnen. 5. In der Bundesrepublik zahlt die Post am Anfang des Monats [die] Renten an die Rentner aus. 6. Auch Telefone bekommt man von der Post. 7. Viele Leute können sich kein eigenes Telefon leisten und sind auf öffentliche (Münz)fernsprecher angewiesen. 8. Heutzutage kann man die meisten Nummern direkt (an)wählen/und [man] braucht nicht über die Vermittlung (das Fernamt) zu gehen.

12.8   1. Der Pfarrer oder Pastor spielt eine bedeutende Rolle im öffentlichen Leben (in der Öffentlichkeit). 2. Er predigt [zu] der Gemeinde von der Kanzel in einer Kirche, Kapelle oder einem Dom (einer Kathedrale). 3. Er tauft und konfirmiert [Leute] und traut Brautpaare. 4. Der Priester (Pfarrer) nimmt die Beichte im Beichtstuhl ab. 5. Er predigt bei Beerdigungen und anderen Anlässen. 6. Er besucht die Alten, Kranken und Einsamen.

13.1/13.2 1. Der Firmenchef trifft alle wesentlichen Entscheidungen. 2. Eine Sekretärin stenografiert und tippt Briefe. 3. Sie heftet auch Briefe und andere Schriftstücke (Dokumente) ab. 4. Forscher verbessern die gegenwärtigen Produkte und entwickeln neue. 5. Werbeleiter sind verantwortlich für Marktforschung und Werbung. 6. Die Verkaufsabteilung ist dafür verantwortlich, Märkte zu erschließen, Produkte auf den Markt zu bringen (zu vermarkten) und sie zu verkaufen (. . . sollen . . . erschließen . . . bringen . . . verkaufen). 7. Buchführer führen (überwachen) die Bücher einer Firma und führen Buchprüfungen durch. 8. Der Betriebsdirektor ist verantwortlich für die technische Organisation des Betriebs (im Betrieb). 9. Großen Konzernen (In großen Konzernen) stehen normalerweise Computer zur Verfügung. 10. Die (Fabrik)arbeiter verrichten die körperliche Arbeit. 11. Sie arbeiten oft (Oft arbeiten sie) am Fließband. 12. Die meisten Arbeiter gehören einer Gewerkschaft an (gehören zu einer G.).

14   1. Die Gesellschaft würde zerbrechen (auseinanderbrechen) und im Chaos enden, wenn die [öffentliche] Ordnung und Sicherheit nicht vorhanden wären (existierten) (Ohne die öffentliche Ordnung . . . könnte die Gesellschaft . . .). 2. Weder Politik noch Wirtschaft, [noch] öffentliches, [noch] privates, oder religiöses Leben könnten sich fruchtbringend entwickeln. 3. Zwischen persönlicher Freiheit und öffentlicher Sicherheit und Ordnung (*law and order*) muß ein Kompromiß gefunden werden. 4. Gerade (Besonders) in Großstädten ist die Kriminalität[srate] beängstigend (alarmierend)

74

' hoch. 5. Einbrüche (Einbruch), Vergewaltigung[en] und Mord sind leider keine Seltenheit mehr. 6. Die Polizei muß heutzutage die Gesellschaft in vielerlei Hinsicht schützen. 7. Er muß zu ungewöhnlichen Zeiten Dienst machen (hat eine ungeregelte Dienstzeit), und sein Gehalt ist nicht übermäßig (sonderlich) hoch. 8. Vieles in seinem Beruf ist Routine(angelegenheit). 9. Fußballrowdies, Demonstrationen, Protestmärsche und Rassenkrawalle müssen unter Kontrolle gehalten werden. 10. Immer mehr Aufgaben (Anforderungen) nehmen die Aufmerksamkeit und die Kräfte der Polizei in Anspruch.

14.1   1. Demonstranten haben oft guten Grund zur Klage. 2. Oft jedoch verscherzen sie sich die Sympathien [in] der Öffentlichkeit, indem sie gewalttätig werden (gewaltsam vorgehen) und ungesetzliche Handlungen begehen. 3. Manchmal trägt (auch) die Polizei zu Ausschreitungen (Krawallen) und Tränengasschlachten bei, indem (weil) sie nervös und schlecht vorbereitet ist. 4. Demonstrationen werden aus vielerlei Gründen von verschiedenen Gruppen und Organisationen veranstaltet. 5. Politische Gruppierungen, Studenten, Gewerkschaften, Streikende (streikende Arbeiter) und Bürgerinitiativen veranstalten oft Demonstrationen (Von politischen Gruppierungen . . . werden oft Demonstrationen veranstaltet).

14.3   1. Nicht alle Kinder haben das Glück, in geordneten Verhältnissen aufzuwachsen. 2. Nicht alle haben das Glück, liebevolle Eltern zu haben. 3. Viele Kinder und junge Leute (Menschen) „kommen unter die Räder" wegen (aufgrund) der (durch die) Gefahren des Großstadtlebens. 4. Die Wirkung des Fernsehens auf Kinder und Jugendliche (junge Menschen) wird oft kritisiert. 5. Auf dem Bildschirm (Im Fernsehen) werden Menschen (Leute) erschossen, vergiftet, erwürgt, erstochen und gefoltert. 6. Frauen werden belästigt und vergewaltigt. 7. Das alles (All(es) das) geschieht ganz selbstverständlich (wie selbstverständlich/als sei es selbstverständlich). 8. Viele Firmen nützen Sex und sexuelle Symbole schamlos aus, um ihre Produkte zu verkaufen (abzusetzen). 9. Jugendliche haben oft ohne weiteres Zugang zu pornographischen Schriften (Büchern) und Sexzeitschriften, die offen in Läden und Kiosken (Kiosks) ausliegen. 10. Heutzutage haben Jugendliche Zugang zu pornographischen Filmen (Pornofilmen), weil die Alterskontrolle nicht genau genommen wird. 11. Sex wird oft mit Gewalt(tätigkeiten) in Verbindung gebracht. 12. [Das] Fernsehen, Filme und Sexzeitschriften können früher oder später zu Frustration(en), Unsicherheit und emotionalen Störungen führen (. . . können früher oder später . . . [+*Acc.*] hervorrufen).

75

15.1 1. Drogen sind Substanzen, die die Reaktionen und Funktionen des Körpers verändern. 2. In der richtigen Dosierung und unter ärztlicher Aufsicht sind viele Drogen willkommene Heilmittel. 3. Drogenmißbrauch kann zu(r) Drogenabhängigkeit führen. 4. Die Ursachen (Gründe) der (für die) Abhängigkeit liegen häufig im täglichen Streß des Stadtlebens, also in (bei) beruflichen, familiären und sozialen Problemen. 5. Manche (Einige) Leute werden mit ihren Problemen nicht aus eigener Kraft fertig. 6. Sie suchen nach Möglichkeiten, in eine scheinbar „heile" Welt zu entfliehen. 7. Auch Neugierde ist für manche Leute ein Grund, Drogen zu nehmen. 8. Der Dealer „fixt an", man probiert einen „Schuß", am Ende jedoch profitiert nur der Dealer (. . . aber am Ende . . .).

15.2 1. Sogar Kinder und Jugendliche haben leichten Zugang zu Alkohol und Tabak (Nikotin). 2. Die gesundheitsschädigende (schädliche) Wirkung von Alkohol und Nikotin hat man längst erkannt. 3. In einigen Ländern hat man [die] Zigarettenreklame bereits (schon) verboten oder eingeschränkt. 4. Jedes Jahr sterben mehr Menschen an Lungenkrebs als bei Verkehrsunfällen (im Straßenverkehr). 5. In vielen Ländern sind (werden) Alkohol und Nikotin (Tabak, Rauchen) hoch besteuert. 6. In der Bundesrepublik trinkt jedes vierte Kind zwischen 12 und 14 täglich (Alkohol). 7. Ob Junge (Bub) oder Mädchen, spielt keine Rolle. 8. Man schätzt, daß mehr als eine Million Menschen in der Bundesrepublik alkoholsüchtig (alkoholabhängig) sind (Die Zahl der alkoholabhängigen Bundesbürger wird auf mehr als eine Million [Menschen] geschätzt).

15.3 1. Schmerztabletten (Schmerzmittel), Beruhigungstabletten (Beruhigungsmittel), Schlaftabletten (Schlafmittel) und Aufputschmittel sind wirkungsvolle (Heil)mittel (Drogen), wenn sie unter ärztlicher Aufsicht genommen werden. 2. Werden sie im Übermaß genommen (Wenn sie . . . genommen werden), ist [damit] auch der erste Schritt zur Abhängigkeit (Sucht) [schon] getan. 3. Manche Ärzte schreiben für sie (dafür) nur zu bereitwillig Rezepte aus. 4. Für viele dieser Drogen (Arzneimittel) braucht man kein(e) Rezept(e). 5. Das Gesetz, das diese Arzneimittel betrifft, sollte verschärft werden. (Das Arzneimittelgesetz sollte diesbezüglich verschärft werden.)

15.4 1. Man nennt Haschisch, Marihuana und Cannabis „weiche" Drogen, weil sie angeblich (scheinbar) nicht schädlich (harmlos) sind. 2. Manche Leute, die mit „weichen" Drogen anfangen, steigen auf schädlichere Rauschgifte, nämlich auf die „harten" Drogen Opium, Kokain und Heroin, um. 3. Diese Rauschgifte sind sehr gefährlich. 4. In (Bei) größeren Dosen (Mengen) treten

Sinnestäuschungen, Angstzustände und schwere Depressionen auf. 5. Von den anderen Gefahren für die Gesundheit [einmal] ganz abgesehen, endet der „Trip" aber (jedoch) immer in Abhängigkeit (Sucht). (Ganz abgesehen von . . . immer aber endet . . .)

15.6   1. Ist ein Mensch erst einmal drogenabhängig (drogensüchtig) geworden, ist es schwer, ihn zu heilen. 2. Entziehungskuren sind nicht immer erfolgreich. 3. Es gibt heutzutage viele Organisationen, die versuchen, (den) Drogensüchtigen (Drogenabhängigen), Alkoholikern und Rauchern zu helfen. 4. Die Anonymen Alkoholiker, die Heilsarmee, öffentliche und private Kliniken und die Kirchen bieten alle praktische Hilfe an (leisten alle praktische Hilfe).

16.1/16.21. Arbeitslosigkeit ist zu einem großen wirtschaftlichen, politischen und sozialen Problem geworden. 2. Wenn jemand arbeitslos wird, bekommt er normalerweise Arbeitslosenunterstützung (Arbeitslosengeld/„Stempelgeld") (geht er normalerweise stempeln). 3. Oft hilft das Arbeitsamt den Leuten (Arbeitssuchenden), eine [neue] Stelle zu finden. 4. Es herrscht (eine) allgemeine Stellenknappheit. 5. Wer ist schuld? Der Staat, die Arbeitgeber, die Marktwirtschaft, die Rationalisierung(smaßnahmen) oder die Gewerkschaften?

16.3   1. Arbeitgeber streben nach höheren Profiten. 2. Sie wollen durch hohe Investitionen und niedrige Lohnkosten ihre Profite steigern (erhöhen). 3. Arbeitnehmer streben nach höheren Löhnen und Gehältern, um ihren Lebenstandard zu verbessern. 4. Zu hohe Profit- bzw. Einkommensforderungen (Profit- bzw. Einkommenserwartungen) wirken sich negativ auf das Arbeitslosenproblem (auf die Arbeitlosigkeit) aus. 5. [Die] Regierungen versuchen, die Tarifpartner (Arbeitnehmer und Arbeitgeber) zur Mäßigung anzuhalten. 6. Wirtschaftliche Macht wird oft als politische Waffe eingesetzt. 7. Die Regierungen sollten Mobilitätshilfe (Mobilitätszuschüsse) geben, um Leuten zu helfen, in Gebiete (Gegenden) zu ziehen, wo es Arbeit(splätze) gibt. 8. Viele Leute lehnen [vermittelte] Stellen ab, weil sie sie für ungeeignet oder unterbezahlt halten.

17.3   1. Das Gebäude wurde von einem Architekten entworfen (Der Architekt entwarf . . .). 2. Das Haus wurde von Maurern und Zimmerleuten errichtet (Maurer und Zimmerleute errichteten . . . .). 3. Installateure legten die Gas- und Wasserrohre. 4. Die Gipser verputzten die Wände. 5. Die Glaser setzten die [Fenster]scheiben ein. 6. Die Klempner installierten die Waschbecken, die

Badewanne, die Dusche und die Toiletten. 7. Die Elektriker schlossen den Strom an und installierten die elektrische Einrichtung. 8. Die Heizungsbauer bauten die Zentralheizung ein. 9. Die Maler malten das Haus an, und die Tapezierer (Innendekorateure) tapezierten die Wände. 10. Der Haus- und Grundstücksmakler verkaufte das Haus.

17.4   1. Für Sozialwohnungen gibt es eine lange Warteliste, obwohl die Mieten hoch sind. 2. In einigen Ländern kann man Sozialwohnungen (eine Sozialwohnung) sogar kaufen. 3. Viele Hauswirte vermieten ungern (Wohnungen) an Ehepaare mit kleinen Kindern. 4. Für Leute mit niedrigem Einkommen ist es oft sehr schwierig, eine Hypothek aufzunehmen (zu bekommen). 5. Die Grundstücks- und Baupreise steigen laufend. 6. Neue Büroblocks (Bürohochhäuser) stehen oft jahrelang leer (unbenutzt). 7. Die meisten westlichen Länder haben (ein) Slumräumungsprogramm(e). 8. Manche Wohnviertel sind ausschließlich „farbig" geworden. 9. Viele Leute, die in Hochhäusern wohnen, fühlen sich einsam und verlassen. 10. Es gibt dort viele soziale Spannungen (Dort treten viele soziale Spannungen auf), und es fehlen oft menschliche Kontakte.

18.1   A. 1. Altern ist Schicksal, wie Geborenwerden und Sterbenmüssen. 2. Das Altwerden ist oft mit Schwierigkeiten und Problemen verbunden. 3. Im Orient sind Altersheime so gut wie unbekannt. 4. Viele westliche Länder haben ein Altersfürsorgesystem. 5. (Alters)renten sind (liegen) nicht besonders (sonderlich) hoch. 6. Die Lebenshaltungskosten sind ständig im Steigen begriffen. 7. Es gibt private, staatliche und städtische Altersheime. 8. Viele alte Leute leben (wohnen) jedoch bei ihren Kindern. 9. Dies (Das) kann zu Spannungen führen. 10. Die Ideallösung wäre wohl, wenn die alten Leute eine unabhängige Wohnung in der Nähe ihrer Kinder oder eine Altenwohnung hätten.

B. 1. Alte Leute legen Wert auf [ihre] Unabhängigkeit. 2. Es ist wichtig für sie, daß sie in einer Umgebung leben (wohnen), die ihnen gefällt, und in der sie sich zuhause [wohl] fühlen. 3. Alte Leute sollten keine finanziellen Sorgen haben. 4. Sie sollten regelmäßig von ihren Kindern und Bekannten (Freunden) besucht werden. 5. Einsamkeit und Alleinsein, besonders in Großstädten (großen Städten) und abgelegenen Gegenden, kann zum Problem werden (kann Probleme mit sich bringen/hervorrufen).

78

18.2 A. 1. Alte Menschen sind oft anfälliger gegen Krankheiten (krankheitsanfälliger) als jüngere Menschen. 2. Sie leiden häufig an Schwerhörigkeit, Rheumatismus und Arthritis (Gicht). 3. Für uns sind Rollstühle, Hörgeräte, Brillen und künstliche Gebisse (falsche Zähne) eine Selbstverständlichkeit (selbstverständlich). 4. Mit zunehmendem Alter werden (alte) Menschen hilfs- und pflegebedürftig.

B. 1. Oft leiden alte Menschen an Gedächtnisschwund. 2. Sie fangen an, Dinge (Sachen) zu verwechseln (durcheinanderzubringen). 3. Sie verlieren ihr Gefühl (ihren Sinn) für Zeit (Zeitgefühl). 4. Ihr Appetit läßt nach. 5. Sie haben Verdauungsschwierigkeiten. 6. Sie können ihr Wasser nicht mehr halten.

C. 1. Man muß auf sie aufpassen. 2. Oft kann man sie nicht (Man kann sie oft nicht) allein lassen. 3. Viele Geräte kann man ihnen aus Sicherheitsgründen nicht mehr anvertrauen. 4. Es ist oft schwierig, alte Leute hochzuheben. 5. Alten Leuten, die schwache Augen haben, muß man vorlesen. 6. Sie müssen richtig ernährt werden. 7. Bei Schwerhörigen muß man oft das Gesagte geduldig wiederholen.

19.1 1. Erbanlagen, Umwelt und eigener Wille formen [die] Persönlichkeit und [den] Charakter eines Menschen. 2. Was ist wichtiger (hat das größere Gewicht), [die] Erbanlagen oder [die] Umwelt? 3. Sicherlich spielen beide eine bedeutende Rolle (Es ist sicher, daß ... spielen). 4. Der eigene Wille eines Kindes kommt erst mit zunehmendem Alter (erst zu einem späteren Stadium) voll zum Tragen. 5. Die Erziehung eines Kindes in den ersten Lebensjahren ist wichtig für das (zu)künftige Leben. (Der Erziehung ... kommt für das zukünftige Leben [eine] große Bedeutung zu.) 6. Wird es ein geselliger Mensch oder ein Einzelgänger? 7. Wird es voll(er) Selbstvertrauen oder unsicher sein? 8. Wird es glücklich und ausgeglichen oder mißmutig und reizbar sein? 9. Die Jahre bis zur Einschulung zählen zu den wichtigsten Jahren des [menschlichen] Lebens. 10. „Man lernt nie aus."

19.2 1. Die Zukunft (Das zukünftige Leben) einer Nation (eines Staates) hängt von der Qualität ihrer (seiner) Schulen ab. 2. In der Bundesrepublik unterstehen die Schulen den einzelnen (Bundes)ländern; in der DDR unterstehen die Schulen direkt dem Staat. 3. Mit sechs Jahren werden die deutschen Kinder schulpflichtig (kommen die deutschen Kinder zur Schule/werden

... eingeschult). 4. In den ersten vier Schuljahren gehen die Kinder in die (zur) Grundschule, d.h., bis sie 10 sind (bis zum zehnten Lebensjahr). 5. In der Bundesrepublik gibt es nicht viele Gesamtschulen. 6. In vielen Gymnasien und in den Gesamtschulen ist die Orientierungsstufe für die Kinder im fünften und sechsten Schuljahr (des ... Schuljahrs) eingeführt worden. 7. In diesen zwei Jahren wird entschieden, welcher Bildungsweg (schulische Weg) der beste für die Kinder ist. 8. Einige (Manche) Kinder bleiben im (auf dem) Gymnasium, andere gehen auf (in) eine Realschule, und andere müssen vielleicht wieder in die höheren Klassen der Hauptschule zurückgehen. 9. Kinder, die in der Orientierungsstufe einer Gesamtschule waren, bleiben auf (in) der Schule, aber bei ihnen wird streaming und setting durchgeführt (horizontal und vertikal differenziert). 10. In der Bundesrepublik können die Kinder mit 15 die Schule verlassen (von der Schule abgehen), aber sie müssen (noch bis zum 18. Lebensjahr) einmal in der Woche zur Berufsschule gehen, bis sie 18 sind, auch wenn sie keine Lehrstelle (keinen Arbeitsplatz) haben.

19.3 A. 1. An den meisten deutschen Schulen ist nur vormittags Unterricht (Schule). (Die meisten deutschen Schulen haben ...) 2. Der Unterricht (Die Schule) geht (dauert) etwa von Viertel vor acht bis Viertel vor eins. 3. Am Samstagmorgen ist auch Unterricht (Schule). (Die Kinder müssen auch ... zur Schule gehen.) 4. Allerdings ist jeder zweite Samstag im Monat frei. (Sie haben allerdings jeden zweiten ... frei.)

B. 1. Koedukationsschulen. 2. Schuluniformen. 3. [die] Schulandacht. 4. [das] Mittagessen in der Schule (die Schulspeisung). 5. [das] „Haus"system. 6. [der] Klassensprecher/[die] Klassensprecherin. 7. [der] Schulsprecher. 8. [die] Schulsprecherin. 9. [der] Schulleiter (Direktor, Rektor, „Chef"). 10. [der] Klassenlehrer/[die] Klassenlehrerin. 11. [das] Schülerrat(s)system/[der] Schülerrat. 12. [die] Schülermitverwaltung (SMV). 13. Klubs und „Gesellschaften". 14. Arbeitsgemeinschaften (AGs). 15. [die] Schulordnung.

C. 1. Sie haben ihre [Abschluß]prüfung(en) gemacht. 2. Max hat seine Prüfung bestanden. 3. Helga hat ihre Prüfung nicht bestanden (ist durchgefallen). 4. Thorsten hatte so schlechte Leistungen (war so schlecht), daß er sitzenblieb (das Jahr wiederholen mußte). 5. Achim bekam (hatte) eine 1,5 in Mathe(matik), aber eine 5 in Geschichte.

80

20.2   1. Die Reifezeit (Pubertät) beginnt bei Mädchen zwischen 12 und 15 und bei Jungen etwas (ein bißchen) später. 2. Es ist eine Zeit körperlicher und geistiger Entwicklung (Reifung). 3. Jugendliche wollen unabhängig (selbständig) sein. 4. Mit der geschlechtlichen (sexuellen) [Heran]reifung und Entwicklung suchen Jungen und Mädchen Kontakt mit dem anderen Geschlecht. 5. Eltern erwarten von den Heranwachsenden Vernunft und Reife (. . ., daß sie vernünftig und reif sind). 6. Dies (Das) ist nicht immer der Fall, und die Leute haben (so) manchmal den falschen Eindruck, als ob die Jugend von heute besonders unreif ist. 7. Weil die Pubertät heute oft früher einsetzt als in der vorangegangenen (letzten) Generation, glauben (denken) die Eltern manchmal, daß ihre Kinder (auch) vernünftiger und cleverer sein müßten, als sie (es) im gleichen (in deren) Alter waren. 8. Jugendliche erkennen oft nicht, welche Folgen ihre mangelnde (geringe) Lebenserfahrung haben könnte. (Jugendliche erkennen oft nicht die möglichen Folgen ihrer mangelnden Lebenserfahrung.) 9. Die Gesellschaft muß die Jugendlichen gegen diese verschiedenen „heimlichen Gefahren" schützen. 10. Im Hinblick darauf (Hier) bestehen verschiedene Gesetze, die dazu beitragen, die Jugendlichen zu schützen. (Hier bestehen verschiedene Vorschriften (Gesetze) zum Schutze Jugendlicher.)

20.3   1. Trotz der gegenwärtigen Schwierigkeiten bestimmen Jugendliche [durchaus] schon das Leben in unserer Gesellschaft [wesentlich] mit. 2. Sie leisten einen Beitrag zum Sozialprodukt. 3. Sie sind Verbraucher. 4. Sie sind (werden) mit 18 wahlberechtigt. (Sie dürfen mit 18 wählen.) 5. Mit 18 können junge Männer zum Wehr- oder Ersatzdienst eingezogen werden. 6. Mit 18 dürfen junge Leute ohne Zustimmung der Eltern heiraten. 7. Mit 18 können sie ihr eigenes Scheckbuch haben (besitzen), einen Kredit aufnehmen und [Sachen] auf Raten kaufen, vorausgesetzt natürlich, daß sie kreditwürdig sind. 8. Sie haben das Recht, zuhause auszuziehen und zu wohnen (leben), wo sie wollen.

20.4   1. Die Jugendlichen von heute sind die Erwachsenen von morgen. 2. Den sogenannten Generationenkonflikt (Generationskonflikt) hat es immer gegeben. 3. Manche Jugendliche wollen die Gesellschaft verändern, während ältere Leute oft das Bestehende (den *status quo*) bewahren wollen. 4. Jugendliche möchten lieber mit Gleichaltrigen ausgehen als mit ihren Eltern. 5. Oft machen sie lieber alleine Urlaub. 6. Jugendliche und Erwachsene haben verschiedene Interessen. 7. Normalerweise bestehen (die) Eltern darauf, daß ihre Kinder zu einer bestimmten Zeit zuhause sind (sein sollten), und das kann zu Konflikten (Streit) führen. 8. Jugendliche und ihre Eltern müssen sich arrangieren. 9. Normalerweise sind Jugendliche von ihren Eltern finanziell abhängig. 10. Bis zum 18. Lebensjahr sind die Eltern für ihre Kinder (rechtlich) verantwortlich.

20.5 A. 1. Die meisten Leute müssen einen Beruf haben, um Geld (ihren Lebensunterhalt) zu verdienen. 2. Wir brauchen Geld zum Leben (um zu leben). 3. Welchen Beruf man hat, hängt zum Teil von den Befähigungen (Qualifikationen), Interessen (Neigungen) und Fähigkeiten ab. 4. Es gibt oft nicht genügend Arbeitsplätze. (Es sind oft nicht ... vorhanden.) 5. Jeder sollte in seinem Beruf Befriedigung finden; aber leider ist das nicht immer möglich. 6. Manche Arbeiten (Berufe) sind langweilig. 7. Arbeiter bekommen Lohn, und Angestellte und Beamte bekommen Gehalt. Freiberuflich Tätige verdienen Geld. 8. Löhne werden normalerweise wöchentlich bezahlt, während Gehälter monatlich bezahlt werden (... und Gehälter werden monatlich bezahlt). 9. Alle (Jeder) müssen (muß) Steuern (be)zahlen. 10. Einige Steuern sind direkt (wie z.b. die Einkommensteuer), während andere (wie z.b. die Mehrwertsteuer) indirekt sind.

B. 1. Viele Leute müssen Überstunden machen, um ihre Grundlöhne und -gehälter aufzubessern, weil ihr Bruttolohn, bzw. -gehalt, oft niedrig ist. 2. Viele Frauen ziehen Halbtagsarbeit (Halbtagsbeschäftigungen/Halbtagsberufe) vor; aber sie ist (sind) heutzutage schwer zu bekommen. 3. Männer und Frauen sollten die gleiche Bezahlung für die gleiche Arbeit bekommen. 4. Heutzutage gibt es in den meisten Berufen bezahlten Urlaub. 5. Es gibt Berufe mit und ohne Pensionsberechtigung. 6. Sollten Männer und Frauen im selben Alter pensioniert werden (dasselbe Pensions- bzw. Rentenalter haben)? 7. Wie alt sollten sie sein, wenn sie pensioniert werden? (Wie hoch sollte ihr Pensions- bzw. Rentenalter sein?)

21.1 A. 1. Man teilt die Kunst meist in folgende (Kunst)gebiete ein: die Musik/die Dichtung/die Bildhauerei/die Malerei/das Kunstgewerbe/die Architektur/das Theater/die Filmkunst/der Tanz.

B. 1. Trotz dieser ziemlich klaren Unterteilung ist es oft sehr schwer, zwischen Kunst und Kitsch zu unterscheiden. 2. Ist ein Steinmetz ein Künstler, oder ist er ein (Bau)handwerker? 3. Das (Es) hängt sehr vom [persönlichen] Geschmack ab. 4. Geschmack hat oft etwas mit „Stil" zu tun (ist oft mit „Stil" verbunden). 5. Im Laufe der Zeit hat es viele verschiedene Stile (Stilperioden) gegeben.

C. 1. Es ist wichtig, die Namen der verschiedenen Kunstepochen (Stilepochen) und Kunstrichtungen zu kennen. 2. die Gotik/die Renaissance/der (das) Barock/das Rokoko/der Klassizismus/die Klassik/die Romantik/der Realismus/der Impressionismus/der Kubismus/der Surrealismus/die Abstrakte (abstrakte) Kunst/die Pop Art.

21.3   1. Ein Künstler muß künstlerisch und schöpferisch sein. 2. Ein Künstler, der sein Handwerk nicht beherrscht, wird nie ein Künstler [werden]. 3. Ein Künstler stellt seine Werke oft in Kunstausstellungen aus. 4. Kunstgegenstände werden oft in Kunstsammlungen (Kunstgalerien) und (Kunst)museen gesammelt.

B. 1. Die folgenden (Folgende) Ausdrücke sind nützlich: Wandmalereien/Glasfenster/Buchmalereien/Radierungen/Linolschnitte. 2. Ein Aquarell(bild)/ein Ölgemälde (Ölbild)/ein Landschaftsbild/ein Stilleben.

C. 1. Der Künstler fertigt eine Studie (eine Skizze, einen Entwurf) über sein Motiv an (Der K. macht . . .). 2. Er legt (zieht) seinen Malerkittel an und stellt seine Leinwand auf die Staffelei. 3. Er holt seine Palette, [die] Farben und Pinsel. 4. Wenn er sein Bild gemalt hat, rahmt er es.

21.4   1. Beethoven hat neun Symphonien geschrieben. 2. Sein letztes Werk war wohl sein eindrucksvollstes. 3. Er setzte ein ganzes Orchester, einen gemischten Chor und [auch] vier Solosänger (dazu einen gemischten Chor und . . .), einen Baß, einen Tenor, einen Sopran (eine Sopranstimme) und einen Alt (eine Altstimme) ein. 4. Grieg war ein berühmter norwegischer Komponist. 5. Toscanini war einer der talentiertesten Dirigenten der Welt. 6. Mozarts Hornkonzerte sind sehr klangvoll. 7. Arrau trug Tschaikowskis Klavierkonzert No. 1 sehr feinfühlig (gefühlvoll) vor (. . . interpretierte . . .). 8. [Die] Callas war eine sehr berühmte Opernsängerin. 9. Sie hatte eine wundervolle Stimme. 10. Er sagte, ihm gefielen alle möglichen Musikarten (. . . alle mögliche Musik) — klassische Musik, Jazz, Big Band [Jazz], Pop, Rock ['n' Roll], Country und Western [Musik] und Swing.

21.5   1. Mein Bruder hört regelmäßig Musik. 2. Ich höre weit über (mehr als) drei Stunden Musik am Tag. 3. Welche Arten von Musik hörst du (hören Sie) gern(e)? 4. Er hört Musik im Fernsehen, im Radio, auf seinem Tonband, auf seinem Cassettenrecorder/oder auf Schallplatten. 5. Ich höre [Musik] normalerweise zuhause oder bei einem (einer) Bekannten (einem

Freund/einer Freundin). 6. Gelegentlich höre ich sie in einer Disco (Diskothek) oder in einem Konzertsaal. 7. Im Sommer höre ich sie manchmal im Freien, und ich höre sie sehr gern(e) „live". 8. In meiner Freizeit höre ich immer Musik, und (aber) nie bei (während) der Arbeit. 9. Ich höre Musik, weil man doch (schließlich) mitreden können muß, nicht wahr? 10. Meine Schwester hört Musik, weil sie sich dabei entspannt, weil sie (ihr) die Langeweile ein wenig vertreibt, und weil sie sich „high" dabei fühlt.

21.6 A. 1. Ein Dichter kann eine Ballade, ein Versepos, ein lyrisches Gedicht, eine Ode oder ein Sonett schreiben (verfassen). 2. Ein Dramatiker kann ein (Bühnen)stück, ein Drama, eine Tragödie (ein Trauerspiel) oder eine Komödie (ein Lustspiel) schreiben. 3. Ein Schriftsteller kann einen Roman, eine Novelle, eine Kurzgeschichte, eine Erzählung, einen Essay, einen Artikel oder ein Märchen schreiben.

B. 1. Der Autor hatte eine klare (feste) Vorstellung von dem Stück (vom Aufbau des Stück(e)s). 2. Es sollte aus drei Aufzügen (Akten) bestehen. 3. Jeder Akt würde in [je] drei Szenen unterteilt sein. 4. Er würde den ersten Akt für die Exposition benützen. 5. Die Charaktere würden sich allmählich entfalten. 6. Das Thema des Stücks (Das Stück) würde grundsätzlich ernster Natur sein. 7. Er würde versuchen, die Handlung mit einigen humorvollen Szenen aufzulockern. 8. Er wollte von Symbolen Gebrauch machen. 9. Er wollte seine Sprache (seinen Sprachstil) einfach und klar halten. 10. Er wollte (hatte die Absicht/beabsichtigte) eine Nebenhandlung (zu) haben.

21.7   1. Mit der steigenden Beliebtheit des Film(e)s (von Filmen) in den 30er und 40er Jahren wurden dementsprechend auch die Kinos größer. 2. Heutzutage sind die neugebauten Kinos kleiner, und viele der älteren, größeren sind in Bingohallen (Bingosäle) und Supermärkte umgebaut worden. 3. Umgebaute alte Kinos, die drei oder vier kleinere [Kinos] enthalten, werden Kinozentren genannt. 4. Zwei, [oder] drei oder sogar mehr verschiedene Filme können unter einem Dach gezeigt werden. 5. Zeichentrickfilme, vor allem Mickey(-)Maus-Filme wurden in den 30er Jahren sehr beliebt. 6. Allmählich wurden die (Film)leinwände größer, und die Tonqualität wurde verbessert. 7. Monumentalfilme, normalerweise mit religiösem oder geschichtlichem Hintergrund, wurden (zu) Kassenschlager(n). 8. Grusel- und Monsterfilme befassen sich normalerweise mit schrecklichen und makab(e)ren Themen wie Graf Dracula und Frankenstein. 9. Ausländische Filme sind oft synchronisiert, oder sie haben Untertitel. 10. Was für Filme gefallen dir (Ihnen)? 11. Mögen Sie lieber Witzfilme, Spionagefilme, Zukunftsfilme (Science-Fiction-Filme), Musicals, Wildwestfilme oder Kriminalfilme? 12. Zuviele Kinos zeigen heutzutage Pornofilme (pornographische Filme).

22.   1. Presse, Rundfunk und Fernsehen informieren, unterhalten und beeinflussen die Menschen. 2. Radio und Fernsehen werden auch als Kommunikationsmittel eingesetzt (benutzt). 3. Deshalb sind alle (Arten von) Nachrichtenmedien (Kommunikationsmedien) für die moderne Welt (in der modernen Welt) äußerst wichtig (Alle Nachrichtenmedien sind deshalb für . . .). 4. Einige Regierungen reißen sich darum (sind sehr daran interessiert), die Massenmedien zu kontrollieren (unter ihre Kontrolle zu bekommen), denn sie können mächtige Propagandamittel sein.

22.1 A. 1. Oft interpretieren die Zeitungen Information(en) (Nachrichten) falsch und bauschen Geschichten auf. 2. Oft müssen Zeitungen aufgrund von Verleumdungsklagen riesige [Entschädigungs]summen zahlen. 3. Zeitungen hängen in hohem Maße von Anzeigenaufträgen ab. 4. Wegen der hohen Papier- und steigenden Herstellungskosten (Produktions-) werden die Zeitungen teurer. 5. Welche Zeitungen lesen Sie?

B. 1. Ein hoher Prozentsatz der überregionalen Presse ist in den Händen von [nur] wenigen Leuten. Durch ihre Leitartikel (Kommentare) können sie unmerklich die Einstellungen von (der) Menschen beeinflussen. 2. Die Menschen lesen mehrere Arten von Artikeln. Frauen schlagen normalerweise (gewöhnlich) zuerst die Modeseite auf, während Männer sich lieber die Fußballergebnisse ansehen (. . . es vorziehen, . . . anzusehen). 3. Zeitungen leben von Katastrophen, Flugzeugabstürzen, Überschwemmungen, Erdbeben und Revolutionen. 4. Man nennt Lord Beaverbrook . . . „Pressebarone" (Lord Beaverbrook . . . werden . . . genannt). In Deutschland hatte Axel Springer zeitweilig das deutsche Zeitungsmonopol. 5. Lokalzeitungen in England befassen sich hauptsächlich (meist nur) mit lokalen Angelegenheiten, während deutsche Lokalzeitungen sowohl lokale als auch überregionale Nachrichten bringen.

C. 1. Zeitungen kann man in Tages-, Abend-, Wochen-, Lokal-, Sonntags- und überregionale Zeitungen einteilen. 2. Es gibt seriöse Zeitungen, Sensationsblätter und Zeitungen, die „zwischendrin liegen". 3. Zuviele Zeitungen konzentrieren sich heute auf Sexthemen und Darstellungen nackter Mädchen (Abbildungen . . .), um die (ihre) Auflage zu erhöhen. 4. Zeitungen sollten fair und genau über das (die Dinge) berichten, was (die) um uns herum vorgeht (vorgehen). 5. In freiheitlich-demokratischen Ländern (Staaten) kann die Presse — mit gewissen Einschränkungen — sagen, was sie möchte (will) (steht der Presse frei . . . zu sagen . . .). 6. In diktatorisch regierten und totalitären Staaten ist die Presse geknebelt und wird von den Machthabern (dem Regime) als Propagandawaffe benützt.

23.   1. „Werbung ist einer der Flüche der modernen Gesellschaft." 2. Überall finden (sehen) wir Werbung. 3. Man kann sie in Zeitungen und Zeitschriften, auf Reklamegerüsten, und Plakatzäunen (Reklameflächen), im Fernsehen und im Kino, an Bussen und in Zügen sehen (finden). 4. Teure Verpackungen machen das Produkt für den Verbraucher teurer. 5. Neon(leucht)reklame leuchtet von allen Gebäuden und macht für alles mögliche Reklame (. . . Reklame einmal für dies und einmal für das). 6. Ohne die „Sponsorenwerbung" würde der Berufssport aufhören zu existieren (könnte . . . nicht existieren/wäre undenkbar). 7. In der Welt der Reklame kocht die Durchschnittshausfrau (wundervoll gepflegt natürlich!) in einer riesigen, mit supermodernen (Küchen)geräten ausgerüsteten (ausgestatteten) Küche (. . . Küche, die mit . . . ausgerüstet ist). 8. Reklame ist schädlich für die Menschen (die Menschheit). 9. Sie (= Die Reklame) macht sie habgierig (neidisch), unzufrieden und unsicher, und sie kann die Menschen dazu veranlassen, über ihre Verhältnisse zu leben, indem sie Sachen kaufen, die sie sich [gar] nicht leisten können. 10. Ohne Reklameflächen (Reklamezäune), Neonreklame (Neonschilder) und erleuchtete Schaufenster, die Tausende von begehrenswerten Produkten zeigen, sähe es in unseren Städten sicher trüber aus (wäre es in . . . trüber).

24.3   1. In vielen modernen Industrieländern haben die Leute (Menschen) eine kürzere Arbeitswoche als früher. 2. Dennoch machen einige Leute Überstunden, um mehr Geld zu verdienen. 3. Was sollen wir mit unserer Freizeit machen? 4. Wir könnten unsere Freizeit passiv gestalten, indem wir fernsehen, Radio oder Schallplatten hören, oder ein Buch lesen. 5. Andererseits könnten wir sie aktiv gestalten, indem wir [irgend]ein Spiel, bzw. (oder) Instrument spielen, oder vielleicht indem wir basteln.

24.4　1. Ich lese gern, weil das entspannt (Entspannung) und Spaß macht (Freude bringt) (Entspannung und Spaß bringt). 2. Ich kann besonders aus Lexika (Lexiken) und Nachschlagewerken viel lernen. 3. Ich lese gerne Romane (Romane gefallen mir), besonders Abenteuer- und Kriminalromane; aber Biographien und Autobiographien gefallen mir besser. 4. Leute, die Lesen langweilig finden, kann ich nicht verstehen. 5. Ich gehe immer (dauernd) zur Bibliothek, um mir einen guten Roman zu holen, oder ich schaue mich in Buchgeschäften immer nach interessanten Taschenbüchern (Paperbacks) um. 6. Meine Schwester und ich lesen (beide) gerne Zeitungen und Zeitschriften. 7. Ich schlage immer (zu)erst die Sportseite auf, und sie liest die Problemspalte.

24.5　1. Welche Fernsehsendung (Welches Fernsehprogramm) mögen (haben) Sie am liebsten? (Was ist Ihre Lieblingssendung im Fernsehen?) 2. Ich mag alle möglichen Sendungen gern. 3. Ich mag wohl am liebsten die Sportsendungen (Am liebsten . . .), besonders Ringen und Pferderennen. 4. Mein Vater sieht gerne [die] Nachrichten und interessiert sich für politische Sendungen. 5. Meine Mutter mag (hat) Fernsehspiele lieber, besonders gerne aber mag (hat) sie Fernseheserien. 6. Mein Bruder mag Komikersendungen (Witzsendungen) und die Schlagerparade (gern). 7. Mögen Sie Talkshows [gerne]? 8. Es kommt darauf an (Es hängt [immer] davon ab), wer interviewt wird.

25.1　1. Heutzutage freuen sich die meisten Leute auf ihren Urlaub und planen ihn lange vorher (im voraus). 2. Reisen (Der Tourismus) hat sich zu einer riesigen Industrie (zu einem riesigen Industriezweig) entwickelt. 3. Immer mehr Leute verbringen ihren Urlaub im Ausland. 4. Obwohl die meisten Leute ihren Haupturlaub im Sommer haben (nehmen) (im Sommer Urlaub machen), wird Wintersport immer beliebter. 5. Die Preise sind (liegen) außerhalb der Saison gewöhnlich (normalerweise) niedriger. 6. Es erscheint unmoralisch, während der Hochsaison höhere Preise zu verlangen, da die Urlaubsorte, Hotels und Strände überfüllt sind. 7. Da die Bedingungen (Voraussetzungen) ungünstiger (schlechter) sind, sollte es billiger (sollten die Preise niedriger) sein.

25.2　1. Das Zelten war früher den Pfadfindern und anderen Jugendorganisationen (Jugendbewegungen) vorbehalten. 2. Heutzutage ziehen viele Leute [das] Zelten (Campen) vor, da es billiger ist, als im Hotel zu wohnen. 3. Viele moderne (Wohn)zelte sind wie kleine Häuser, und auch Wohnwagen und Dormobile sind sehr beliebt. 4. Moderne Campingplätze bieten (Campingplätze bieten heute . . .) viele [Gemeinschafts]einrichtungen an. Sie haben Waschräume und Duschen, [sowie] Toiletten(anlagen) und einen Campingplatzladen. 5. Einige Leute machen gern „Urlaub auf dem Bauernhof" (. . . verbringen ihren Urlaub gern auf dem Bauernhof). 6. Ferienlager sind bei Eltern mit kleinen Kindern sehr beliebt. 7. Es gibt [dort] keine Babysitterprobleme (schwierigkeiten mit dem Babysitten). 8. Von Reiten bis hin zu Tennis gibt es vielerlei Vergnügungsmöglichkeiten (Möglichkeiten zur sportlichen Betätigung), und für die Kinder gibt es manchmal Sackhüpfen und Eierlaufen. 9. Die Ferienhütten (Ferienhäuschen) in guten Ferienlagern sind meist (normalerweise) sehr gemütlich; manchmal gibt es sogar ein Lagertheater und -kino und einen Tanzsaal. 10. Da im Restaurant essen so teuer ist (. . . es so . . . ist . . . zu essen), ziehen es viele Familien vor, sich im Urlaub selbst zu verpflegen.

25.3 1. Herr Maier bekommt 4 Wochen Jahresurlaub (Urlaub im (pro) Jahr), während seine Kinder, die noch zur Schule gehen, im Jahr etwa 12 Wochen Ferien haben. 2. Die Kinder haben Ferien. 3. Der Geschäftsmann hat Urlaub. 4. Der Soldat hat (ist auf) Urlaub. 5. Er hat heute frei. 6. Sie hat um 6 Uhr Feierabend. 7. Wann ist die Schule aus? 8. Morgen ist [ein] Feiertag.

25.4 1. am Heiligabend (am Heiligen Abend, am Weihnachtsabend). 2. am ersten Weihnachtstag. 3. am zweiten Weihnachtstag. 4. Silvester (am Silvesterabend, am Altjahrsabend). 5. am Neujahrstag (Neujahr). 6. am Ostermontag. 7. am Faschingsdienstag. 8. am Aschermittwoch. 9. am Gründonnerstag. 10. am Karfreitag. 11. am Ostersonntag. 12. am 11.11. um 11 Uhr 11 (um 11.11 Uhr). 13. zu Weihnachten. 14. zu Ostern. 15. zu Pfingsten.

26.1 1. Spielst du (Spielen Sie) noch gern mit elektrischen Eisenbahnen, Lego(baukästen) und Stabilbaukästen? 2. Skat ist wohl das beliebteste Kartenspiel in Deutschland. 3. Welches der folgenden Spiele spielst du (spielen Sie): Schach, Dame, „Mensch ärgere dich nicht!", Halma, Backgammon (das Puffspiel), Domino, Superhirn und Darts? 4. Spiel und Sport hängen eng zusammen. 5. Es ist nicht immer einfach (leicht), zwischen Amateursport und Berufssport (den A. vom B.) zu unterscheiden. 6. Ich mache nur Breitensport (Freizeitsport, Jedermannssport), weil ich für Spitzensport nicht gut genug bin.

26.3 1. Fußball ist wohl das beliebteste Spiel der Welt, aber er (es) wird manchmal von Fußballrowdies verdorben (kaputtgemacht). 2. Fußballsonderzüge werden oft demoliert. 3. Viele Klubs (Vereine) versuchen, das Fußballrowdy-Problem zu lösen. 4. In vielen Fußballstadien sind Drahtzäune errichtet worden, und die Anhänger der Gästemannschaft werden von den Anhängern der Heimmannschaft getrennt. 5. Werden Profis (Profisportler) zu hoch bezahlt (überbezahlt)? 6. [Der] Profisport hat das Gesicht vieler Spiele verändert. Cricket ist sogar unter (bei) Flutlicht mit einem weißen Ball gespielt worden. 7. Die Bezahlung einiger Spitzensportler steht oft in (gar) keinem Verhältnis zum Unterhaltungswert der Sportler. 8. Hohe Ablösesummen haben dazu geführt, daß viele ärmere Fußballklubs (Fußballvereine) es sich nicht mehr leisten können, neue Spieler zu kaufen (einzukaufen). 9. Viele Vereine haben [sogar] Schwierigkeiten (Für viele Vereine ist es schwierig), ihre eigenen Spieler zu bezahlen. 10. Mein Verein hat den Pokal und die Meisterschaft (Bundesligameisterschaft) im selben Jahr gewonnen.

26.4 1. Leider ist der Sport auch politisiert worden. 2. Sportler laufen Gefahr, Handlanger der Politik zu werden. 3. Dies trifft nicht nur für den Westen zu, sondern in größerem Umfange für die Ostblockländer. 4. Guerillas haben während der Olympischen Spiele in München 1972 Gewalt angewendet, um auf ihre politischen Ziele aufmerksam zu machen.

27.2 1. Schon immer hat es Unterprivilegierte, Minderheiten, Randgruppen und Außenseiter gegeben. 2. Werden Frauen in der sogenannten Männergesellschaft benachteiligt? (Wird gegen Frauen ... diskriminiert?) 3. Frauen spannen Wolle, webten Stoffe, nähten Kleider, flickten Hosen, backten (buken) Brot, kochten Mahlzeiten, fegten, scheuerten, putzten [die] Küche und [die] Speisekammer (machten ... sauber), und halfen sogar bei der Feldarbeit (auf den Feldern). Machen (Tun) sie (all(e)) diese Dinge immer noch? 4. Frauen wurden ausgebeutet und unterbezahlt. 5. Immer mehr Frauenrechtlerinnen verbreiteten die Idee der Frauenemanzipation.

27.3 1. Schon immer haben Frauen (Frauen haben schon immer ...) Angst gehabt vor unerwünschter Schwangerschaft (... vor unerwünschter Schwangerschaft Angst gehabt). 2.Heutzutage hat die Pille den Frauen (der Frau) viel mehr sexuelle Freiheit gegeben. 3. Die Verantwortung für die Familienplanung (Empfängnisverhütung) sollte in einer Ehe von beiden Ehepartnern gleichberechtigt getragen werden (In einer Ehe sollte ...). 4. Männer und

89

Frauen haben unterschiedliche biologische Funktionen. 5. Die Natur hat der Frau die schwierigen Aufgaben der Schwangerschaft und (der) Geburt übertragen. 6. Heutzutage kann eine Frau (selbst) entscheiden, ob sie Kinder haben (bekommen) will (oder nicht). 7. Die meisten Frauen haben ein angeborenes Gefühl, das man allgemein „Mutterinstinkt" nennt.

27.5   1. Alle Menschen sind vor dem Gesetz gleich. 2. Mann und Frau (Männer und Frauen) sind gleichberechtigt. 3. Alle Tiere sind gleich, aber einige sind gleicher als andere. 4. Die Stellung der (einer) Frau in ihrem gesellschaftlichen und beruflichen Leben ist oft eingeengt. 5. Warum muß eine Frau warten, bis sie von einem Mann zum Tanz aufgefordert wird? 6. Warum fällt eine Frau, die allein in ein Lokal oder ins Kino geht, immer auf? 7. Warum nennt man die Frau(en) das „schwache Geschlecht"? 8. Warum öffnet ein Mann die Tür für eine Frau (einer Frau die Tür), und warum sollte er ihr in den Mantel helfen?

28.1   1. Bonn – manchmal das „Bundesdorf" genannt – ist die Hauptstadt der Bundesrepublik Deutschland, und Ostberlin ist die Hauptstadt der DDR. 2. Die Bundesrepublik ist zweimal so groß wie die DDR, und hat ungefähr dreimal soviel Einwohner. 3. Die Bundesrepublik hat 11 Bundesländer, und die DDR hat 15 Bezirke. 4. Ungefähr zwei Millionen Menschen wohnen (leben) in Westberlin und eine Million in Ostberlin. 5. Wegen des „Kalten Krieges" war viele Jahre lang das Verhältnis zwischen den zwei deutschen Staaten nicht sehr gut. 6. Die Luftbrücke der Amerikaner und Engländer gegen die sowjetische Blockade im Jahre 1948 rettete Westberlin. 7. Der Arbeiteraufstand in der DDR – [am] 17. Juni 1953 – wurde von russischen Panzern niedergeschlagen. 8. Trotz des Eisernen Vorhangs flohen zwischen 1949 und 1961 mehr als 3 Millionen Menschen aus der DDR in die Bundesrepublik. 9. [Im Jahre] 1961 wurde die Berliner Mauer gebaut, um zu verhindern, daß noch mehr Leute (Menschen) flohen. 10. Seit dem Grundvertrag zwischen den beiden deutschen Staaten im Jahre 1972 haben sich die Beziehungen zwischen der Bundesrepublik und der DDR etwas verbessert.

28.2 1. Gestern abend waren nur 64 Abgeordnete im Unterhaus. 2. Der Außenminister wird morgen mit dem Schatzkanzler nach Brüssel fliegen (... fliegt morgen ...). 3. Er war anderthalb (eineinhalb) Jahre lang Mitglied des Schattenkabinetts gewesen. 4. Die Regierung hatte (verfügte über) die absolute Mehrheit. 5. Die Meinungsumfrage war positiv. 6. Hast du den Premierminister letzten Montag im Fernsehen gesehen? 7. Der Innenminister hat ein(e) schwierige(s) Aufgabe (Amt). 8. Der Premierminister wird das Unterhaus (Parlament) bald auflösen und Neuwahlen abhalten müssen. 9. Sollte das Oberhaus abgeschafft werden, oder hat es noch eine demokratische (Kontroll)funktion? 10. In vieler Hinsicht kann man eine englische Grafschaft mit einem Bundesland vergleichen.

29.1 1. Das Irlandproblem, das es schon seit Jahrhunderten gibt, kann nicht über Nacht gelöst werden. 2. Der Konflikt zwischen Katholiken und Protestanten, die IRA und die Ulster-Unionisten, die bürgerkriegsähnlichen Zustände und die Internierungslager sind einige der Probleme, die gelöst werden müssen. 3. [Im Jahre] 1969 wurden britische Truppen nach Nordirland geschickt, und drei Jahre später wurde der Stormont „vorübergehend" aufgelöst. 4. Der Nordirlandkonflikt hat wirtschaftliche, historische (geschichtliche) und kulturelle Wurzeln. 5. Es gibt (besteht) auch das Problem der katholischen Minderheit gegen die protestantische Mehrheit. (Die ... Mehrheit ... ist ebenfalls ein Problem.) 6. Immer wieder gibt es Konflikte zwischen den Extremisten und den Gemäßigten. 7. Viele Engländer scheinen das Nordlandproblem satt zu haben. 8. Einige befürworten den Abzug der britischen Truppen aus Nordirland. 9. Andere wiederum fürchten, daß es einen neuen (erneut einen) Bürgerkrieg in Nordirland geben könnte. 10. Vielleicht wird eines Tages die „schweigende Mehrheit" eine friedliche Lösung ermöglichen (möglich machen).

29.2 1. Die Schottische Nationalpartei und die Walisischen Nationalisten haben in den letzten Jahren immer mehr an Bedeutung gewonnen. 2. Beide wollen in den einen oder anderen Form [politische] Selbständigkeit. 3. Welche Art von Selbständigkeit sollte das (es) sein? 4. Könnten Schottland und Wales als unabhängige Staaten existieren? 5. Es ist anzunehmen, daß viele derjenigen Waliser, die Walisisch sprechen, für völlige politische Autonomie (Selbständigkeit) sind. 6. Die Labour-Partei und die Konservativen meinen, daß Wales und Schottland wirtschaftlich nicht lebensfähig sind. 7. Die Entdeckung von Nordseeöl vor der schottischen Küste (Küste Schottlands) könnte die Lage für Schottland ändern. 8. Aber was passiert, wenn die

Ölvorräte erschöpft sind? 9. Ein politisch unabhängiges Schottland könnte ein kleiner, unbedeutender Staat am äußersten Rande Europas werden. 10. Machtverlagerung und Dezentralisierung könnten sich aber wirtschaftlich und kulturell positiv auswirken.

29.3　　1. Die Gewerkschaften vertreten die Interessen der Arbeitnehmer und sind daher Interessenverbände (Pressure Groups) geworden. 2. Arbeitgeberverbände (z.B. die CBI) sind auch Interessenverbände. 3. In der Bundesrepublik handeln die Gewerkschaften und die Arbeitnehmerverbände u.a. die Höhe der Löhne und Gehälter, die Arbeitsplatzbedingungen (Bedingungen am Arbeitsplatz) und die Anzahl der wöchentlichen Arbeitsstunden (wöchentliche Arbeitsstundenzahl) aus. 4. Gewerkschaften üben politischen und wirtschaftlichen Druck aus, um z.B. Lohn- und Gehaltserhöhungen zu erreichen. 5. Lohn- und Gehaltserhöhungen sind oft mit Produktivitätsabkommen gekoppelt. 6. Lohn- und Gehaltserhöhungen sollten mit den Preisen Schritt halten. 7. Wenn aber die Preise gleichbleiben, und die Löhne und Gehälter steigen, dann drohen in den Fabriken Kurzarbeit und sogar Entlassungen. 8. Streiks mit Zustimmung der Gewerkschaft(en) werden offizielle Streiks genannt, die ohne Zustimmung der Gewerkschaft(en) heißen nichtoffizielle oder „wilde" Streiks. 9. Betriebsobmänner sind die gewählten Arbeitnehmervertreter (Vertreter der Arbeitnehmer).

30.1　A. 1. Die Montanunion (Die Europäische Gemeinschaft für Kohle und Stahl — EGKS), die 1952 gegründet wurde, war der Anfang der E(W)G. 2. Frankreich, die Bundesrepublik, die Benelux-Länder und Italien wurden die „Sechs" genannt. 3. Diese sechs Länder beschlossen, ihre wirtschaftliche Zusammenarbeit auszudehnen, was die friedliche Nuklearforschung (Atomforschung) einschloß. 4. Die Römischen Verträge wurden 1957 von den Sechs unterzeichnet, und die EWG entstand (wurde geboren). 5. [Im Jahre] 1967 fusionierten (vereinigten sich) die Montanunion, die EWG und die EAG, und man nannte sie Europäische Gemeinschaft (EG) (und man faßte sie unter dem Obergriff [Namen] „EG" zusammen). 6. [Im Jahre] 1973, als sich Großbritannien, Dänemark und Irland der EG anschlossen, wurden aus den „Sechs" die „Neun" (Aus den „Sechs" wurden..., als sich ... 1973...). 7. [Im Jahre] 1981 wurde Griechenland das zehnte Mitgliedsland.

30.3　　1. [Im Jahre] 1979 fanden zum ersten Mal Direktwahlen zum Europaparlament (Europäischen Parlament) statt. Es tagt in Luxemburg und Straßburg. 2. Das oberste Entscheidungsorgan der EG ist der Ministerrat. 3. Die wichtigsten Fragen werden vom „Europäischen Rat", der aus den Regierungschefs der 10 Mitgliedsländer besteht, entschieden. 4. Die „Europäische Kommission", die in Brüssel tagt (zusammenkommt), besteht aus 13 Mitgliedern; sie ist das Planungsgremium (Planungskomitee) der EG.

30.4   1. Was sind die Ziele der EG? 2. Viele Leute wollen die „Vereinigten Staaten von Europa". 3. Sie streben einen engeren Zusammenschluß zwischen den (der) europäischen Nationen (Völker) an. 4. Die Gemeinsame Agrarpolitik wird oft kritisiert. 5. Wenige Leute wissen etwas über die Ziele der Gemeinsamen Agrarpolitik, aber die meisten Leute haben [schon einmal etwas] von „Butterberg(en)" und „Weinsee(n)" gehört. 6. Das Europa der Zukunft (Das zukünftige Europa) darf kein Europa der Bürokraten und Händler werden, sondern eine politische Gemeinschaft, auf die jeder Europäer stolz sein kann. 7. Wird es eine gemeinsame europäische Währung geben? Die „(Währungs)-schlange" und das EWS (das Europäische Währungssystem) sind die ersten Schritte dazu (auf diesem Weg/auf dieses Ziel zu) gewesen. 8. Nicht alle Leute sind (nicht jeder ist) überzeugte(r) Europäer.

31.1   1. Energie ist die Triebfeder einer modernen Industriegesellschaft. 2. Wir neigen dazu, Energie als selbstverständlich zu betrachten. 3. Energie ist unentbehrlich, sowohl zuhause als auch in der Fabrik. 4. Die Primärenergieträger sind Kohle, Uran, Erdgas und Mineralöl. 5. Aus den (diesen) Primärenergieträgern werden Sekundärenergieträger gewonnen, (wie) z.B. Benzin, Elektrizität und Heizöl, die in Raffinerien, Kraftwerken und anderen Anlagen produziert (hergestellt) werden. 6. Unsere Energievorräte sind begrenzt. 7. Die Ölvorräte werden voraussichtlich im Jahre 2020 erschöpft sein. 8. Erdgas wird knapp sein und immer teurer werden. 9. Es ist wenig tröstlich, daß Kohlevorräte etwas länger reichen werden. 10. Wir müssen Energie sparen, während wir uns nach neuen Energiequellen umsehen.

31.2   A. 1. Wenn es kein Benzin gäbe, könnten unsere Autos nicht fahren. 2. Ohne Diesel(öl) würden Busse nicht laufen (fahren). 3. Flugzeuge könnten ohne Treibstoff nicht fliegen. 4. Ohne Strom (Elektrizität) könnten wir nicht fernsehen. 5. Maschinen würden ohne Schmieröl zum Stillstand kommen (stillstehen).

B. 1. Die ölproduzierenden Länder setzen ihr Öl als wirtschaftliche und politische Waffe ein. 2. Die Ölpreise sind in den letzten Jahren astronomisch angestiegen. 3. In vielen Ländern, besonders in den Entwicklungsländern, ist die Inflationsrate bedrohlich gestiegen. 4. Die OPEC-Länder sind der Meinung (Ansicht), daß sie viele Jahre lang von einigen westlichen Industrieländern ausgebeutet wurden (worden seien). 5. Die Ölkrise hätte den Weltfrieden gefährden können.

31.3   1. Wasser, Sonne, Wind und (die) Erde sind (alles) Energiequellen. 2. Die Wasserkraft, die Sonnenenergie, Windmühlen (und) Windkraftwerke sowie Erdwärmeanlagen sind (alle) abhängig von geographischen und klimatischen Bedingungen.

31.4   1. Obwohl Kernenergie gefährlich ist, können wir ohne sie nicht auskommen. 2. Kernenergie könnte das weltweite Energieproblem (in der Welt) lösen. 3. Wir dürfen nicht vergessen, daß Uran eine Energiequelle (ein Energieträger) ist, mit dem Atombomben gebaut werden können.

32.1   1. Das Schicksal der Entwicklungsländer ist *die* [eigentliche] soziale Frage unserer Zeit. 2. Der Friede in der Welt (Weltfriede) und die Zukunft des Westens hängen davon ab, wie die Industrieländer den Entwicklungsländern helfen, ihre Probleme zu lösen. 3. Viele Entwicklungsländer werden wohlhabender (reicher), teils durch (ihre) eigene(n) Anstrengungen und teils durch Entwicklungshilfe. 4. Der sogenannte Hungergürtel der Erde zieht (erstreckt) sich quer durch Mittel- und Südamerika, Afrika, Südasien und Teile des Südlichen Pazifik(s). 5. Im Jahre 2000 gibt es in der Welt möglicherweise (kann es vielleicht . . . geben) dreimal soviel Arme wie Reiche. 6. Die Unterprivilegierten [in] der Welt werden nur den zwanzigsten oder dreißigsten Teil der Nahrungsmittel haben, die die Privilegierten haben.

32.2   1. Das Problem „Dritte Welt" wird oft „Nord-Süd-Konflikt" genannt. 2. Die meisten Industriestaaten (-länder) liegen in [den] nördlichen Breitengraden (in der nördlichen Hemisphäre) und die meisten Entwicklungsländer liegen in [den] südlichen Breitengraden. 3. Wer den Entwicklungsländern wirksam(e) Hilfe leisten will, muß ihre Schwierigkeiten verstehen (kennen). 4. Sie müssen ihre Probleme selbst lösen, obwohl eine Dauerlösung (dauerhafte, endgültige Lösung) schwierig sein wird. 5. Lebensmittelsendungen der Industrieländer im Falle von Überschwemmungen, Mißernten oder Erdbeben sind notwendig. 6. Ein chinesisches Sprichwort (be)sagt: „Wer ein Pfund Fisch(e) gibt, hilft für einen Tag, aber wer lehrt, Fisch(e) zu fangen, hilft auf die Dauer."

33.1 1. Wissenschaftler und Politiker haben oft versucht, die Menschheit (Menschen) nach Hautfarbe, Kopfform, Augen- und Haarfarbe in Rassen(gruppen) einzuteilen. 2. Diese Einteilung ist wissenschaftlich und moralisch oft zweifelhaft. 3. Solche Einteilung führt (Einteilungen führen) oft (häufig) zu Rassismus, Rassenhaß und Rassenkonflikt(en). 4. Aus politischen, ideologischen, religiösen, kulturellen, sprachlichen und wirtschaftlichen Gründen hat es zwischen Rassen oft Spannungen gegeben (Zwischen den Rassen ... hat es ...). 5. Die Apartheid in Südafrika ist ein Beispiel der Rassendiskriminierung und der Rassentrennung zwischen Schwarzen und Weißen.

33.2 1. In der Mitte der 50er Jahre gab es in der Bundesrepublik einen ständig steigenden Bedarf an Arbeitskräften (Arbeitern) (... bestand ... ein ständig steigender Bedarf ...). 2. Viele deutsche Arbeiter waren nicht mehr bereit, schwere körperliche und schmutzige Arbeit zu leisten (tun/verrichten). 3. Viele Tausende von Gastarbeitern (Viele tausend Gastarbeiter) kamen aus der Türkei, Griechenland, Jugoslawien, Portugal, Spanien und Italien. 4. Viele Gastarbeiter kamen nach Deutschland, um möglichst schnell möglichst viel Geld zu verdienen und dann in ihre Heimatländer zurückzukehren. 5. Andere Arbeiter zogen es vor, in der Bundesrepublik zu bleiben und Bundesbürger zu werden (die deutsche Staatsbürgerschaft anzunehmen). 6. Die Eingliederung einer solch großen heterogenen Gruppe brachte viele Schwierigkeiten [mit sich]. 7. Die Gastarbeiter mußten eine neue (andere) Sprache und neue (andere) Sitten (und Gebräuche) lernen. 8. Heute gibt es in der Bundesrepublik mehr als drei Millionen Gastarbeiter und ihre Familien, und sie werden allmählich in die Gesellschaft eingegliedert.

33.1 A. 1. Viele Menschen in der Welt greifen zur Gewalt (wenden Gewalt an), um soziale, politische und militärische Ziele durchzusetzen. 2. Rassenhaß und religiöser Fanatismus machen sich in gewaltsamen Aktionen Luft. 3. Wann ist Gewalt gerechtfertigt? 4. Heiligt der Zweck die Mittel? 5. Es gibt, bzw. gab viele terroristische Vereinigungen, wie z.B. die Stadtguerillas, die Roten Brigaden, die Rote Armee Fraktion und die Baader-Meinhof-Bande. 6. Sind diese Gruppen mutige Freiheitskämpfer oder blutige Terroristen? 7. Ist die westliche Welt bereit, für die Dissidenten in den Ostblockländern zu kämpfen? 8. Die Antwort hängt von der politischen Einstellung des einzelnen ab. 9. Als (Mit) Terror bezeichnet man (Terror ist) die systematische Gewaltanwendung durch einen diktatorischen oder totalitären Staat. 10. Ziel des Terrorismus ist es oft, (Die Ziele . . . sind oft . . .) Angst und Schrecken und Unsicherheit unter (bei/in) der Bevölkerung und der Regierung eines Landes zu erzeugen und das bestehende politische System zu stürzen (beseitigen).

B. 1. Der Dissident wurde bespitzelt, eingeschüchtert und ohne Haftbefehl verhaftet. 2. Das Todesurteil wurde vollstreckt. 3. Die Freizügigkeit (Bewegungsfreiheit) des Geschäftsmann(e)s wurde eingeschränkt. 4. Sein Telefon wurde abgehört. 5. Die politischen Häftlinge (Gefangenen) wurden in ein Arbeitslager geschickt (gesteckt).

C. 1. Amnesty International befaßt sich normalerweise mit (kümmert sich . . . um + Acc.) Menschenrechten und mit der Verbesserung von Haftbedingungen. 2. Nachdem die Lufthansamaschine entführt worden war, stellten (setzen) die Entführer ein Ultimatum (wurde von den . . . gesetzt). 3. Der Politiker wurde von Terroristen entführt und nach einem Monat (einen Monat später) ermordet. 4. Im [Auto]kofferraum des Richters wurde eine Bombe gelegt (angebracht). 5. Die Sekretärin wurde durch eine Briefbombe getötet. 6. Als die Regierung sich weigerte, die Forderungen der Terroristen zu erfüllen, wurden zwei Geiseln aus dem entführten Zug erschossen (Zwei Geiseln wurden . . ., als . . .).

VI. Key to the Translation Exercises based on the Grammar Reference

General note:
These translations focus, of course, on grammatical structure rather than on vocabulary, idiomatic expression, and style. This key, therefore, does not contain many variants.

A1–A4   Use of cases
1. Er fährt jeden Tag mit dem Auto zur Arbeit.
2. Sie sind des Sieges sicher. (*slightly old-fashioned*)
3. Er wohnt einen Kilometer weg (weiter/entfernt).
4. Sie gingen ihres Weges. (*slightly old-fashioned*)
5. Sie setzte sich auf eine Bank in dem Park.
6. Der Geschäftsmann fuhr immer erster Klasse.
7. Er ähnelt seinem Bruder.
8. Er saß an seinem Schreibtisch, seinen Bleistift in der Hand.
9. Er kauft (wird . . . kaufen) seinem Sohn einen Cassettenrecorder.
10. Er rannte in den Garten, eilte die Straße hinunter und ging dann langsam den Hügel hinauf.

A5   Apposition
1. Mein jüngerer Bruder ist ein früherer Schüler dieser Schule.
2. Sein Freund war ein guter Arzt.
3. Ich habe das Buch, seinen besten Roman, gestern gelesen.
4. Sie sah ihn während des Frühlings, ihrer liebsten Jahreszeit.
5. Er ging mit einer Krankenschwester, einem hübschen Mädchen, zu der Party.

B1   Use of the articles
1. Die kleine Elizabeth kam mit ihrer Mutter.
2. Das heutige Deutschland ist ein sehr reiches Land.
3. [Der] Iran liegt im Mittleren Osten und die Schweiz liegt in Europa.
4. Ich habe mir die Hände und das Gesicht gewaschen.
5. Ich besuchte ihn einmal die Woche.

97

6. Hast du sie am Morgen, am Nachmittag oder am Abend gesehen (besucht)?
7. Die Äpfel haben zwei Mark das Pfund gekostet.
8. Bist du mit dem Flugzeug gefahren (geflogen)?
9. Am Sonntag ging er nach dem Frühstück zur Kirche.
10. Die Oxford-Straße ist eine der wichtigsten Straßen Londons.

B2/B3 The indefinite article/the partitive
1. Er ist kein Deutscher, er ist Ausländer.
2. Er ist Mitglied des Rugbyvereins.
3. Sie wurde (war) als Stewardeß angestellt.
4. Bing Crosby war ein sehr beliebter amerikanischer Sänger.
5. Er tat es zum (aus) Spaß.
6. Das Pferd kam im Trab.
7. Zur Abwechslung fahren wir einmal nach Schweden.
8. Er ging mit schwerem Herzen (schweren Herzens) nach Hause.
9. Einige Leute aßen Brot.
10. Er gab ihr [etwas] Geld und ein paar Blumen.

C4 Weak masculine nouns
1. Ich sah den Jungen. Er gab dem Affen [einige] Nüsse.
2. Die Philosophen zeigten dem Poeten ein Gemälde des Monarchen und seines Sohnes, des Prinzen.
3. Der Oberst schickte den Soldaten und den Matrosen zu dem Grafen, weil sie Helden waren.
4. Ich besuchte den Franzosen im Hause meines Nachbarn.
5. Meine Neffen sahen einen Spatz(en) und einen Raben im Garten des Bauern.

C5 Mixed declension nouns
1. mit hellem Funken
2. wegen seines Namens
3. vom ersten bis zum letzten Buchstaben
4. gegen seinen Willen
5. Er bekam einen großen Schreck(en).

C6 Nouns with two genders and different meanings
1. Der Erbe erhielt sein Erbe.
2. Der Junge brachte die Leiter ins Büro des Leiters.
3. Der Tor stieß gegen das Tor. (Tor=fool: *archaic/poetic)*
4. Der Weise summte eine nette Weise auf der Wiese.
5. Er tötete den Heiden auf der Heide.
6. Der [Landver]messer hielt ein scharfes Messer.
7. Der Taube, der eine Taube in der Hand hielt, fiel gegen eine Kiefer und brach sich den Kiefer.
8. Der See ist ruhiger als die See.

C7 Nouns which are singular in German and plural in English
1. Der Kommandeur fuhr zu seinem Hauptquartier in der (die) Kaserne zurück.
2. Sie trug ihre Brille, während sie die Hose mit der Schere aufschnitt.
3. Der kleine Junge trug seinen Pyjama, als er die Treppe herunterkam.
4. Der Lohn war im Mittelalter nicht hoch.
5. Er hatte (hat . . . gehabt) Mathematik, Physik und Statistik in der Schule.

C10 Nouns with prepositional objects
1. Das kleine Mädchen hatte Angst (fürchtete sich) vor der Dunkelheit.
2. Mit einem letzten Blick auf das Haus fuhren sie weg.
3. Mein Bruder hatte kein Interesse an (interessierte sich nicht für) Mathematik.
4. Ich bekam die Antwort auf meine Frage.
5. Er hatte einen Traum über seinen Vater. (Er träumte von seinem Vater.)

C11 Adjectives used as nouns
1. Ein Reisender unterhielt sich mit dem alten Mann.
2. Zwei junge Frauen besuchten ihre alten Verwandten.
3. Sie kamen mit etwas Interessantem.
4. Ich habe nichts Gutes über ihn gehört.
5. Das Schlimmste an dem Haus war die Küche.

D1 Personal pronouns
1. Es waren (ihrer) zehn. *(archaic use; fairy-tale and poetic style)*
2. Ich tat es um seinetwillen. (Ich tat es seinetwegen [*modern German*])
3. In der Stadt wohnen viele Leute.
4. Ich erinnere mich an ihn.
5. Erinnerst du dich (daran)?

D2/D3 Reflexive, emphatic and reciprocal pronouns
1. Wir haben es selbst gesungen.
2. Ich selber habe es gelesen.
3. Er hat sich das Gesicht gewaschen.
4. Er hat ihm das Gesicht gewaschen.
5. Liebt ihr euch? (Lieben Sie sich?)
6. Wir werden einander (uns) schreiben.
7. Sie saßen hintereinander.
8. Putz dir die Zähne! (Putzen Sie sich . . .)

D4 Interrogative pronouns
1. Wer sind diese (jene) Soldaten?
2. Wen hast du gestern abend gesehen?
3. Wessen Auto ist das?
4. Wem hat er geholfen?

5. Wem (An wen) hat er geschrieben?
6. Worauf hast du gewartet?
7. Auf wen hast du gewartet?
8. In welchem der drei Autos bist du gekommen?
9. In welches des drei Häuser ist er gelaufen?
10. Ich habe einen Pelikan-Füller. Was für einen hast du?

D5 Relative pronouns
1. Der Mann, der in dem Haus wohnt, hat eine Schwester, deren Mann in München arbeitet.
2. Ich sah die Soldaten, deren Oberst tot war.
3. Ich sah den Russen, dem sie folgten (den sie verfolgten).
4. Ich sah die Kinder, mit denen meine Kinder spielten.
5. Was mir am besten gefiel, war die Burg.
6. Alle möglichen Dinge, die man in der Zeitung liest, sind nicht wahr.
7. Das schönste Porträt, das wir sahen, war die Mona Lisa.
8. Das Zimmer, in das wir gingen, war groß.
9. Das Zimmer, in dem wir standen, war groß.

D6 Demonstrative adjectives
1. Der (Wagen), den ich eben gesehen habe, ist zu teuer. (Das Auto, das . . .)
2. Das, was (das) ich eben gelesen habe, ist äußerst langweilig.
3. Seine Freunde und die seines Brüders gingen auf dieselbe Schule wie ich.
4. Er hat denselben Füller wie ich.
5. Sie haben dieselben Lehrer, die ich habe (. . . Lehrer wie ich).
6. Er hat zwei Autos, ein rotes und ein weißes. Das erstere ist alt, und das letztere ist neu (Dieses . . . jenes . . .)

D7 Possessive pronouns
1. Ich ging mit meinem Freund, und sie ging mit ihrem.
2. Er ging mit seiner Frau, und sie gingen mit ihren.
3. Dein Bruder ist jünger als meiner.
4. Wir haben unsere Sachen (das Unsrige (*old fashioned in most contexts*)) mitgebracht.
5. Er ist ein Freund von uns. (Er ist einer unserer Freunde.)

D8 Indefinite pronouns
1. Man muß abwarten.
2. Sie warten immer auf einen (dich) (werden . . . warten).
3. Er hilft einem (dir/Ihnen) immer (wird . . . helfen).
4. Jeder[mann] sollte in einem netten Haus wohnen.
5. Das ist jedermanns Wunsch (der Wunsch aller). (Das wollen alle.)
6. Ich habe kein Brot. Hast du welches?
7. Irgend jemand weiß schon die Adresse (. . . wird . . . wissen).
8. Sonst kam keiner (niemand) mehr/Niemand anders kam mehr.

D9 Other indefinite pronouns
1. Alle zusammen!
2. Alles war umsonst.
3. Es war kein Essen mehr da (übrig). (Das Essen war *alle: baby-language; slang)*
4. Wir spielten [alle] beide Tennis.
5. Die beiden Brüder waren Seeleute.
6. Beide Feststellungen waren richtig.
7. Hat er (irgend)etwas gesagt?
8. Sie haben nichts gehört.
9. Einige trugen Kleider, andere trugen Hosen.
10. Sie haben mehreres gesagt.

D10 Position of pronouns
1. Gib ihn mir.
2. Schick ihnen das Buch.
3. Wem hast du die Photos gezeigt?
4. Ich habe ihm den Brief nicht gezeigt.
5. Reich mir und meinem Bruder bitte den Wein.

E2–6 Adjectival endings
1. Welchen interessanten Roman hast du kürzlich gelesen?
2. Alle neuen Autos sind teuer.
3. Was für ein altes Haus ist es?
4. Ist das dasselbe kluge Mädchen?
5. Die(se) junge Krankenschwester und jener (der) ältere Arzt besuchten den alten Patienten (die alte Patientin) zusammen.
6. Mein jüngerer Bruder und seine hübsche Frau arbeiten beide in derselben großen Fabrik in der Mitte (mitten in) der (jener) neuen Stadt.
7. Wessen schmutziges Heft ist das (dies(es))?
8. Der hohe Baum dort drüben ist sehr schön.
9. Ich habe mehrere neue Blusen, einen neuen Mantel, viele weiße Taschentücher, einige Seidenschlipse (seidene Schlipse) und zwei blaue Pullover als Weihnachtsgeschenke.
10. Er tut mir leid, weil er keine guten Freunde, keine nahen Verwandten, kein gemütliches Haus, keinen guten Arbeitsplatz, keine warme Kleidung und nur wenig Geld hat.

E7 The comparison of adjectives
1. Dieses neue Gebäude ist hoch, das (jenes) ist höher, aber das da (drüben) ist das höchste, was (das) ich je gesehen habe.
2. Sein Bruder ist jünger als er.
3. Welcher von beiden Flüssen (Welcher der beiden Flüsse/Welcher Fluß) ist länger, der Rhein oder die Themse?
4. Seine Stimme war rauher als sonst.

5. Sie ist größer und schlanker als vor zwei Jahren.
6. Die(se) Platte ist gut, die(se) ist besser, aber die alte (da) ist am besten (die beste).
7. Dies(es) kleine Mädchen heißt Lisa, das kleinere [da] heißt Annette, und (aber) das kleinste in der Klasse heißt Jutta.
8. Du bist genauso groß wie ich.
9. Er ist sogar größer (noch größer) als mein jüngerer Bruder.
10. Er wird reicher und reicher (... immer reicher).
11. Er ist alles andere als schlau.
12. Je höher du gehst (man geht), desto kälter wird es.

E8/E9   Adjectives and past participles followed by a preposition
1. Er ist bei seinen Freunden beliebt.
2. Sie war über ihr neues (von ihrem neuen) Radio enttäuscht.
3. Sein älterer Sohn war von der (durch die) Arbeit erschöpft.
4. Er war eifersüchtig auf seinen Bruder.
5. Das ist sehr charakteristisch (typisch) für das Land.
6. Er ist berühmt wegen seiner Musik.
7. Der Lehrer war sehr böse auf die Klasse.
8. Er war in Gedanken versunken.
9. Sie waren sehr stolz auf ihren Onkel.
10. Der (Dieser) Mann ist mit meinem Vater verwandt.

E10   Adjectives used with the genitive
1. Er ist einer besseren Arbeit fähig. *(archaic)* (Er ist imstande/fähig, bessere Arbeit zu leisten.)
2. Sie waren sich der Gefahr bewußt.
3. Er ist des Preises würdig. *(old-fashioned)*
4. Sie war sich der (Uhr)zeit bewußt.
5. Er war des Geldes bedürftig. *(17th c.)* (Er hatte das Geld sehr nötig.)

E11   Adjectives used with the dative
1. Er ist seiner Mutter sehr ähnlich.
2. Sie wohnten nahe am (beim) Wald.
3. Sie waren ihr sehr dankbar.
4. Das wird ihnen nützlich sein. *(old-fashioned; modern German:* Das wird ihnen nützen.)
5. Der Hund war seinem Herrn gehorsam. *(old-fashioned; modern German:* Der Hund gehorchte seinem Herrn.)
6. Die Sprache war dem jungen Deutschen sehr fremd.
7. Der Sänger (Die Sängerin) war allen (jedem) bekannt.
8. Sie ist ihrem Vater sehr zugetan.

F1   Prepositions governing the accusative
1. Bis (zum) nächsten Donnerstag werden sie fertig sein (sind sie fertig).
2. Bis Köln war die Reise schön.
3. Der Preis des Hauses ist um 4000 DM gestiegen.
4. Der Ritter wurde durch ein Schwert getötet.
5. Die Lage wird Tag für Tag (von Tag zu Tag) schlechter.
6. Bis auf einen (Außer einem) kamen alle Gäste.
7. Gegen seinen Vater war er nichts. (Verglichen mit . . . + dat.)
8. Der Zug fährt gegen Mitternacht [ab].
9. Nachdem er die Straße entlanggefahren war, fuhr er direkt bis an das Flußufer heran.
10. Ich treffe dich (sehe dich) [um] halb zehn.

F2   Prepositions governing the dative
1. Er eilte aus dem Haus und rannte zum Bahnhof.
2. Der Hund wedelte mit dem Schwanz.
3. Nach dem Frühstück ging ich zum Fleischer (Metzger/Schlachter).
4. Aus welchem Grunde war er außer sich vor Freude?
5. Es war keiner da außer seiner Frau.
6. Zum Beispiel aß das Kind zum ersten Mal Käse zum Frühstück.
7. Er kannte den Herzog von Edinburgh von Ansehen.
8. Bei schlechtem Wetter arbeite ich immer zuhause.
9. Als ich ihn sah, lebte er schon seit einem Monat in Deutschland.
10. Er wurde von einem französischen Soldat(en) kurz nach der Schlacht bei Hastings getötet.
11. Bei dieser Gelegenheit entschloß er sich vorbeizukommen.
12. Wir kannten den Mann mit Namen, aber er hatte nie Geld bei sich.
13. Dank seiner Hilfe konnten wir das Auto reparieren.
14. Er kam mit[samt] (zusammen mit) seiner jüngeren Schwester.

F3   Prepositions governing the accusative and dative
1. Wir haben es nicht im Fernsehen gesehen. Im Gegenteil, wir haben es im Radio gehört.
2. An deiner Stelle würde ich zur Universität gehen.
3. Unter uns [gesagt], sie wurde auf frischer Tat ertappt.
   (Man ertappte sie . . .)
4. Er arbeitete auf dem Lande und verkaufte seine Früchte und sein Gemüse auf dem Markt.
5. Der Zug fährt das ganze Jahr [hindurch] über Köln.
6. Er wohnte früher (immer) im Erdgeschoß, aber jetzt wohnt er im zweiten Stock.
7. Am Wochenende spielte er im Freien.
8. Er rannte auf die Straße und ging auf seinem Schulweg (Weg zur Schule) an mir vorbei (vorüber).

9. Er fuhr am Samstag (Sonnabend), dem *(also* den, *although grammatically incorrect)* ersten November, ins Ausland.
10. Er wohnte zwanzig Jahre im Ausland und starb im Alter von 79 [Jahren] (mit 79).

F4 Prepositions governing the genitive
1. Während des Sommers (Im Sommer) wohnten sie in der Schweiz.
2. Trotz des starken Regens fuhren sie zu dem alten Gasthaus, das südlich des großen Sees lag.
3. Sie waren aufgrund des Krieges (durch den Krieg) sehr arm.
4. Innerhalb einer Woche bist du wieder gesund.
5. Wir wohnen diesseits der (jener) hohen Berge.
6. Er fuhr (ging) anstelle seines älteren Bruders.
7. Wegen des dichten Nebels beschlossen sie, zuhause zu bleiben.
8. Während des Fluges flog des Flugzeug oberhalb der Wolkendecke (über der Wolkendecke).

G1 Cardinal numbers
1. Der Mann, der dreiundsiebzig Jahre alt ist, und seine siebenundsechzigjährige Frau haben einen siebenunddreißigjährigen Sohn, einen siebzehnjährigen Enkel und eine sechzehnjährige Enkelin.
2. Wieviel(e) Söhne hatte er? Er hatte nur einen.
3. Dieses Mal wollte eine ihrer Freundinnen noch eine Kuchensorte (einen Kuchen), eine weitere Freundin noch ein Glas Bier und eine weitere Freundin eine andere Flasche Wein haben.
4. Die Schulkinder gingen zu dreien (zu dritt) auf den Schulhof. Zwei von ihnen redeten.
5. Der junge Französischlehrer unterrichtete sie zu neunt.
6. Hunderte von jungen und alten Männern (Hunderte junger und alter Männer) fuhren mit der Zwanzig zu dem Fußballspiel.
7. Sie sahen, wie die deutsche Elf die englische Elf (mit) drei zu null (3:0) schlug.
8. Hunderttausende (von Leuten) besuchten in den fünfziger Jahren die Ausstellung.
9. Sie ist in den Dreißigern, und er ist (ein Mann) Mitte Sechzig.
10. Er hatte nur einen Hunderter bei sich.

G2 Ordinal numbers
1. Am achten März besuchte (sah) ich den ersten Mann und seine dritte Frau zum zweiten Mal in ihrer Wohnung im siebten Stock.
2. Haben Sie die Porträts von Heinrich dem Achten und Elizabeth der Ersten gesehen?
3. Welches ist der zweitlängste Fluß, der dritthöchste Berg und die fünftgrößte Stadt der Welt?
4. Wir gingen in das erstbeste Restaurant.
5. Das zweitbeste Mädchen der Klasse war die vorletzte (in) der Reihe.

G3/G4 Fractions and measurements
1. Wir kannten unseren Nachbarn nur halb.
2. Dreiviertel der Klasse hatte nur die Hälfte der Hausaufgaben gemacht.
3. Sie gingen zweieinhalb Kilometer in einer halben Stunde.
4. Sie kaufte fünf Pfund neue Kartoffeln und ein halbes Pfund reife Kirschen.
5. Er kam mit zwei Gläs(ern) kaltem Bier und drei Tassen schwarzem Kaffee zurück.

G5 Other numeral expressions
1. Alle möglichen Leute lesen alle möglichen Bücher. *(slightly derogative)*
2. Sein neues Auto war zweimal so groß wie meins, aber das war mir einerlei.
3. Das einzige, was ihr als einziges Kind, das einsam war und allein lebte, übrigblieb, war, wenigstens (mindestens) einmal pro/die/in der Woche auszugehen (wegzugehen).
4. Wir mochten keine(n) von beiden.
5. Der Schrank war voll(er) alter Bücher.
6. Sie kommen beide, aber keiner von beiden hat ein Auto.
7. Alle ihre Freundinnen hatten sowohl das Buch gelesen als auch den Film gesehen.
8. Die ganze Klasse hatte (Alle in der Klasse hatten) alle (all(e) ihre) Aufgaben gemacht.

H1 Co-ordinating conjunctions
1. Wir sind ins Kino gegangen, aber (wir) haben (haben aber) den Film nicht gesehen.
2. Wir sind nicht ins Kino, sondern ins Theater gegangen.
3. Es war ein heißer Tag, aber die Sonne schien nicht.
4. Bist du zuhause geblieben, oder hast du deinen Freund besucht?
5. Mein Bruder und ich gingen nicht oft aus (weg), denn wir hatten nicht viel Geld.

H2 Subordinating conjunctions
1. Sie beschlossen, im Schnee zu spielen, obwohl es bitter kalt war.
2. Er sah aus, als ob er tagelang nichts zu Essen bekommen (gehabt) hätte (..., als hätte er ...).
3. Es wäre besser, wenn du deinen Schirm mitnähm(e)st, falls es regnet. (Du solltest lieber ... mitnehmen ...)
4. Es war lange her, seit (daß) er seinen Bruder gesehen hatte. (Er hatte seinen Bruder lange nicht gesehen.)
5. Sie trug die Halskette, ohne daß ihre Mutter es wußte.
6. Ich wußte nicht, warum er den Revolver gekauft hatte.
7. Er ging auf eine große Gesamtschule, während (wogegen) seine jüngere Schwester auf ein kleines Gymnasium ging.

8. Seine ältere Tochter sprach Französisch, als sie vor zwei Monaten in Frankreich war.
9. Sie verhafteten ihn, ehe (bevor) er in das Auto steigen konnte.
10. Sie gingen, bis sie an das einsame Bauernhaus kamen.

H 3   Correlative conjunctions
1. Spät zu (ins) Bett [zu] gehen ist eine Sache (eins), am anderen Morgen früh auf[zu]stehen, ist eine andere Sache (ist etwas anderes).
2. Er geht immer zur gleichen Zeit spazieren, ob es [nun] naß oder trocken ist (sei es naß, oder sei es trocken).
3. Je schneller er lief, desto mehr kam er außer Atem.
4. Sowohl der Laden als auch die Wohnung sollen verkauft werden.
5. Die Polizei fahndete nach dem Spion einmal/bald im Wald einmal/bald am Fluß.
6. Sie *hat* ihn weder/nicht geheiratet, noch *will* sie ihn heiraten.
7. Er wollte entweder Arzt oder Tierarzt werden.
8. Es blieb (war) nicht genügend Zeit, um den Dom, geschweige denn das Museum, zu besuchen.

11–16   Adverbs
A.
1. Natürlich wollte sie ihn bald besuchen (sehen); je früher, desto besser.
2. Glücklicherweise stand ihr jüngerer Bruder gern früh auf, während sie lieber so lange wie möglich (möglichst lange) im Bett blieb.
3. Morgens trinke ich gern Kaffee, nachmittags trinke ich lieber Tee, aber am liebsten trinke ich abends Wein.
4. Der junge Mann (da) singt sehr (äußerst) gut, aber ich höre lieber die Stimme dieses Mädchens (hier).
5. Damals (Zu der Zeit) sah ich sie höchstens einmal die (in der) Woche.
6. Jahrelang ist er nie irgendwo hingefahren, aber jetzt ist er dauernd dabei, dahin oder dorthin (irgendwohin) zu fahren (fährt er dauernd . . .)
7. Wir bogen (nach) links ab und fuhren dann bergauf. Oben besuchten wir das Schloß und schauten hinunter ins Tal.
8. Woher bist du gekommen (. . . kommst du), und wohin gehst (fährst) du?
9. Er arbeitet nicht mehr in dem Büro. Er arbeitet (jetzt) woanders.
10. Ich habe nicht gehört, was er gesagt hat, weil ich leider hinten stand.

B.
1. Sie sagte nachdenklich.
2. Er antwortete kurz.
3. Er erwiderte höflich.
4. Er rief laut.
5. Er brummte (brummelte) mürrisch.
6. Sie fügte schnell hinzu.

7. Er fuhr eifrig fort.
8. Er zischte ärgerlich.
9. Er flüsterte leise.
10. Er lächelte kalt.
11. Er lachte herzlich (aus vollem Herzen).
12. Er murmelte undeutlich (unverständlich).
13. Sie weinte bitterlich.
14. Er pfiff fröhlich (glücklich).
15. Sie hustete nervös (aufgeregt).

J3/J4   The use and formation of tenses
A. 1. Wohnen sie noch dort (da)?
2. Er arbeitet (doch) dort (da), nicht wahr?
3. Liest du immer noch das (*old-fashioned:* jenes) Buch?
4. Freitags spielt sie (immer) Tischtennis.
5. Sie kommen im Sommer.
6. Sie wohnen (schon) seit drei Jahren im Norden.
7. Wir warten (schon) drei Monate auf unseren neuen Wagen (unser neues Auto).
8. Er hat mich seit drei Tagen nicht gesehen (. . . drei Tage (lang) nicht gesehen).

B. 1. Er wird einen Monat (lang) dort sein. (Er ist einen Monat (lang) dort).
2. Bleibst du (Bleiben Sie/Bleibt ihr) zum Mittagessen? (Wirst du (Werden Sie/Werdet ihr) zum Mittagessen bleiben?)
3. Wir sind (gerade) im Begriff, nach München zu fahren. (Wir wollen gerade/eben nach München fahren.)
4. Wir sind (gerade) im Begriff, ins Kino zu gehen. (. . . gerade dabei, ins . . .)

C. 1. Gestern abend arbeitete er bis Mitternacht.
2. Er ging zur Telefonzelle, hob (nahm) den Hörer ab und wählte (die Nummer).
3. Er schlief noch, als der Wecker klingelte.
4. Wir gingen jedes Wochenende schwimmen. (Wir gingen am Wochenende immer schwimmen./Wir pflegten am Wochenende schwimmen zu gehen.)
5. Sie pflegten sonntags in die Kirche zu gehen. (Sonntags gingen sie immer in die Kirche.)
6. Er pflegte seinen Bruder jeden Montagabend zu besuchen.
7. Mittwochs pflegte er dorthin zu gehen.
8. Er lernte schon zwei Jahre (seit zwei Jahren) Deutsch, als er das erste Mal nach Deutschland fuhr (ging) (Er hatte . . . gelernt).

D. 1. Hast du (Haben Sie/Habt ihr) den (*old-fashioned:* jenen) Brief geschrieben?
2. Bist du (Sind Sie/Seid ihr) schon (einmal) dort (da) gewesen?
3. „Letzten Montag habe ich meinen Vater besucht", sagte sie.
4. Hat er schon (zu) Mittag gegessen?
5. Bis (um) sechs (Uhr) haben sie das Auto (den Wagen) repariert.
6. Er hat den ganzen Morgen (lang) gearbeitet.

E. 1. Wir hatten den Film schon gesehen. (Den Film . . .)
2. Sie waren schon einmal in der Schweiz gewesen.
3. Hatten sie Fußball gespielt?
4. Waren sie die ganze Zeit (über) dort (da) geblieben? (Hatten sie . . . gewohnt?)
5. Sie war (früher) Krankenschwester gewesen.
6. Nachdem wir das Schloß besichtigt (besucht) hatten, aßen wir (zu) Mittag.

F. 1. Sie würden mir nicht helfen.
2. Wenn sie (es) könnten, würden sie mir helfen. (Sie würden mir helfen, . . .)
3. Sie würden mir immer bei meiner (der) Arbeit helfen, (Sie helfen mir immer . . ./Sie pflegten mir immer . . . zu helfen), wenn ich sie nicht verstehen würde (verstünde).
4. Würdet ihr Würden Sie/Würdest du) dort (da) hingehen (hinfahren)?
5. Warum nicht? (Warum würdet ihr (. . .) das nicht tun?/Warum wolltet ihr (. . .) nicht)?

G. 1. Sie werden (schon) gefrühstückt haben.
2. Sie wird schon in Frankfurt angekommen sein.
3. Wirst du bis morgen den (*old-fashioned:* jenen) Aufsatz (den Aufsatz bis morgen) geschrieben haben? (Hast du . . . geschrieben?)
4. Wann werden Sie (wirst du/werdet ihr) den (Ihren/deinen/euren) Brief geschrieben haben?
5. Er wird schon (weg)gegangen sein.

H. 1. Wenn ich Zeit gehabt hätte, wäre ich länger geblieben.
2. Ich hätte sie gebeten zu bleiben, wenn ich das gewußt hätte. (Wenn ich . . .)
3. Hätten Sie (Hättet ihr/Hättest du) ihn unter diesen (den) Umständen gesehen (besucht)?
4. Warum wären Sie (wärst du/wärt ihr) nicht dort hingegangen (. . . dort nicht hingegangen)?
5. Hätten Sie sich (Hättest du dich/Hättet ihr euch) gewaschen und rasiert, wenn Sie gewußt hätten (du gewußt hättest/ihr gewußt hättet), daß sie kämen?

J5 The imperative
1. Reichen Sie (reich(e)/reicht) mir bitte den Wein!
2. Essen Sie (iß/eßt) nicht so schnell!
3. Los, versuchen Sie (versuch(e)/versucht) es (mal) (... doch mal)!
4. Bleiben Sie (bleib(e)/bleibt) ja nicht zu lange auf!
5. Öffnen Sie (Öffne/Öffnet) bitte das Fenster (Machen Sie ... das Fenster auf!)
6. Machen Sie (Mach/Macht) die Tür zu!
7. Wollen wir (mal) einkaufen gehen? (Laßt uns einkaufen gehen!)

J6 The infinitive
A.
1. Er konnte gestern nicht kommen.
2. Wirst du (Werden Sie/Werdet ihr) sie bald schicken können? (Kannst du ... sie bald schicken?)
3. Ich würde Ihnen (dir/euch) helfen, wenn ich könnte. (Wenn ich könnte, ...)
4. Sie fühlte, wie sie weinte. (*poetic use:* Sie fühlte sich weinen.)
5. Der Bürgermeister hieß uns in Goslar willkommen.
6. Er lehrte mich Französisch sprechen.
7. Bist du gestern abend tanzen gegangen?
8. Er brachte uns zum Lachen. (*old fashioned:* Er machte uns lachen.)
9. Wir haben keine Zeit zu verlieren.
10. Hat er mich kommen sehen?
11. Ich kann ihn kommen sehen.
12. Es ist sehr schön (nett), dich zu sehen, obwohl du nicht hättest (zu) kommen brauchen.
13. Ich habe den Film noch nicht sehen können.
14. Ich habe die Vögel im Garten singen hören.
15. Ohne einen Augenblick (Moment) zu zögern.
16. [An]statt Italienisch zu lernen.

B.
1. Er ging dorthin, um zu schwimmen. (Er ging zum Schwimmen dorthin.)
2. Bist du (Seid ihr/Sind Sie) nach oben gegangen, um dich (euch/sich) auszuruhen?
3. Sie ging zum Kaufhaus, um (etwas/ein bißchen/einiges) einzukaufen.
4. Er paßte im Unterricht auf, um seine Hausaufgaben machen zu können.
5. Sie gingen (fuhren) nach Hause, um sich umzuziehen.
6. Er kaufte einen elektrischen Rasenmäher, um den Rasen schneller mähen (schneiden) zu können.
7. Er ging zum Frisör, um sich die Haare schneiden zu lassen.
8. Er brachte sein Auto in die [Reparatur]werkstatt, um es reparieren zu lassen.

J7/J8   Separable and inseparable prefixes
1. Sie hatten sich verlaufen.
2. Sie hat die (*old-fashioned:* jene) Zeitung zerrissen (in Stücke gerissen).
3. Ist der Gefangene (Häftling) entkommen?
4. Hat dein (Ihr/euer) Bruder das Fenster zerbrochen (kaputtgemacht)?
5. Er hat das Buch ins Deutsche übersetzt.
6. Wann sind sie im Hotel angekommen?
7. Er ging ins Büro, um seinen Chef zu beglückwünschen. (. . . um seinem Chef zu gratulieren.)
8. Hast du das Schauspiel (Theaterstück) gestern abend besprochen? (. . . über . . . gesprochen/diskutiert?)
9. Er ging nach draußen, um das Auto auszuladen (zu entladen).
10. Er trat vor, um sein Gedicht vorzulesen (laut zu lesen).
11. Nachdem er aus dem Auto gestiegen war, eilte (lief) er ihr nach. (. . . eilte er hinter ihr her.)
12. Du hast die Frage völlig mißverstanden.
13. Sie hat ihrer Mutter [schon] immer widersprochen.
14. Er erschoß den Polizisten. (. . . hat . . . erschossen.)
15. Er errötete (wurde rot), weil er gespielt (hatte) und sein ganzes (all sein) Geld verloren (verspielt) hatte.

J9   Modal auxiliary verbs
A. 1. Darf ich nach Deutschland fahren?
2. Dürfen wir rauchen?
3. Durfte er die (seine) Prüfung machen?
4. Du darfst (Man darf) nicht in den Fluren (Korridoren) herumlaufen!
5. Das dürfte (könnte) [wohl] wahr sein.
6. Darf ich fragen, ob Sie Ausländer sind?

B. 1. Er kann Auto fahren.
2. Er konnte die Frage nicht verstehen.
3. Er könnte das Haus kaufen, wenn er genug Geld hätte. (Wenn er . . .)
4. Wir konnten nicht umhin zu lächeln.
5. Können Sie (Kannst du/Könnt ihr) Spanisch?
6. Sie konnte schon gehen, obwohl sie (noch) nicht sprechen konnte.
7. Sie kann krank sein.
8. Das könnte [wohl] falsch sein.

C. 1. Wir mochten des Schauspiel (Theaterstück) nicht [gern].
2. Sie mag ihren Bruder nicht gern (nicht leiden).
3. Ich mag [gern(e)] Äpfel und Orangen (Apfelsinen). (Ich mag . . . gern.)
4. Ich mag keine Birnen. (Ich mag Birnen nicht.)
5. Ich möchte gern wissen, ob wir (r)ausgehen.

D. 1. Wir mußten ausgerechnet *sie (die)* sehen (besuchen). (Gerade *sie* mußten wir sehen).
2. Ich muß einen Brief schreiben.
3. Ich habe einen Brief zu schreiben. (zum Schreiben [*colloquial*] = to be typed/to be written).
4. Wir mußten früh frühstücken.
5. Wir frühstückten früh.
6. Nachdem wir gefrühstückt hatten.
7. Es muß in (während) der Nacht (nachts/über Nacht) geregnet haben.
8. Sie brauchen es nicht (zu) kaufen.
9. Sie dürfen es (das) nicht kaufen.

E. 1. Ich sollte [eigentlich] den Brief in den Briefkasten werfen. (... zum Briefkasten/zur Post bringen.)
2. Das Essen (Die Verpflegung) soll hervorragend (sehr gut) sein.
3. Wo soll ich Sie (dich/euch) hinbringen (hinfahren)?
4. Sie sollten gestern kommen.
5. Sie sollte [eigentlich] morgen kommen.
6. Ich werde heute abend nicht ins Kino gehen.
7. Ich soll den Film nicht sehen.
8. Wenn ich Sie (du/ihr) wäre, würde ich nicht dahin gehen. (*Better:* An Ihrer (deiner/eurer) Stelle würde ich nicht ...)
9. Ich sollte eigentlich nicht fernsehen, weil ich einen Brief zu schreiben habe.

F. 1. Wollen Sie (Willst du/Wollt ihr) mit uns kommen?
2. Sie wollte gerade (eben) einkaufen gehen.
3. Sie will ihn getötet haben. (Sie gibt vor, ihn getötet zu haben.)
4. Er will das Auto (den Wagen) gestohlen haben. (... gibt vor ... zu haben.)
5. Er will [angeblich] nichts gesehen haben. (Er gibt vor, nichts gesehen zu haben.)
6. Wir wollen unbedingt (durchaus), daß Sie (du/ihr) bleiben (bleibst/bleibt). (Wir bestehen darauf, daß ...)
7. Ich werde (will) ihn nicht sehen (besuchen).
8. Ich will ihn nicht sehen (besuchen).
9. Er würde mich nicht sehen (besuchen). (Er wollte mich nicht sehen.)
10. Er wollte mich nicht sehen (besuchen).
11. Er pflegte jeden Abend spazieren zu gehen.
12. Wollen wir schwimmen gehen? (Kommst du mit zum Schwimmen.)

G. 1. Er hat nach Köln fahren müssen.
2. Mußtest du (Mußtet ihr/Mußten Sie) zu Hause bleiben? (Hast du ... bleiben müssen?)
3. Sie hat es noch nicht kaufen können.
4. Ich habe dort schon lange wohnen wollen. (Ich wollte ...)

5. Sie sahen mich kommen.
6. Hast du (. . . ihr/Sie) sie singen hören? (Hörtest du . . . singen?)
7. Sie konnte nicht ausgehen (. . . nicht raus), weil sie ihrer Mutter helfen mußte. (Sie hat nicht ausgehen können, . . .)
8. Er weiß noch nicht, ob er nach Frankreich oder nach Spanien fahren muß.
9. Sie sind glücklich, obwohl sie werden umziehen müssen.
10. Sie war enttäuscht, weil ihr Bruder mehrere (etliche) Stunden früher hätte ankommen sollen.

J10   lassen
1. Habe ich meinen Schirm in deinem (Ihrem/eurem) Auto liegen (ge)lassen? (Ließ ich . . . liegen?)
2. Laß ihn los!
3. Laß ihn gehen!
4. Das läßt sich nicht leugnen (abstreiten).
5. Sie ließ ihren Mann das (ihr) Auto parken.
6. Sie ließen [sich] eine Garage neben ihrem Haus bauen (. . . neben . . . eine Garage bauen.)
7. Du (ihr/Sie) hättest (hättet/hätten) mich nicht warten lassen sollen.
8. Nachdem sie ihr(e) Haar(e) hatte schneiden lassen (. . . sie sich das Haar hatte schneiden lassen), ließ sie es (sie) waschen.

J11   Impersonal verbs
1. Ist es dir [schon] aufgefallen, daß es regnet?
2. Es tat mir sehr leid um ihn. (Er tat mir sehr leid.)
3. Es wundert mich, daß es sich aufklärt.
4. Ist es dir gelungen (Gelang es dir), deinen Bruder zu treffen (sehen/besuchen)?
5. Es fror sie an den Händen. (Ihre Hände froren./Sie fror an den Händen.)
6. Ihr war übel (schlecht). (Sie fühlte sich übel.)
7. Hat das Stück (Schauspiel) ihnen gefallen?
8. Es war sehr wahrscheinlich, daß es sich um Geld handelte. (Sehr wahrscheinlich handelte es sich um Geld.)
9. Es lohnt sich, dorthin zu gehen. (Dort /Da läßt sich hingehen!)
10. Es hängt (alles) davon ab (Es kommt (alles) darauf an), ob es schneit (oder nicht).
11. Es (Jemand) klopfte und dann klingelte es (jemand).
12. Es machte nichts, daß es mir kalt war (ich fror).

J12   Causative verbs
1. Hast du das Bild neben den Spiegel gehängt? (Hängtest du . . .?)
2. Der Mann hing am Dach (vom Dach) herunter.
3. Das Flugzeug versenkte das U-Boot.

4. Das Boot ist auf den Meeresgrund (Meeresboden) gesunken (... sank).
5. Wer hat die Bäume in deinem Garten gefällt (... fällte)?
6. Bist du über den (jenen) Baum (da) gefallen (gestolpert) (Fielst du ...)?
7. Plötzlich haben mich die Scheinwerfer geblendet (... blendeten mich ...).
8. Er erblindete, als er dreißig (Jahre alt) war. (Mit 30 erblindete er.)
9. Die Frau ertrank in dem See.
10. Er ertränkte seine Frau in der Badewanne (im Bad[e]).

J13   Verbs governing the dative
1. Ich begegnete meiner Schwester auf (in) der Hauptstraße. (... bin ... begegnet.)
2. Hast du ihm geholfen, sein Fahrrad zu reparieren?
3. Was ist deinem Freund passiert (geschehen)?
4. Antworte mir! (Antworten Sie mir!/Antwortet mir!)
5. Er widmete sich seiner Arbeit. (Er gab sich seiner Arbeit hin.)
6. Traust du dem (jenem) Mann?
7. Er lächelte dem hübschen Mädchen zu.
8. Das paßt mir [gut].
9. Uns schmeckte das Essen (die Mahlzeit) sehr (außerordentlich) gut.
10. Ich werde ihnen das nie verzeihen.

J15   Use of prepositions after certain verbs
A. 1. Hast du deinem Onkel für das Geschenk gedankt?
2. Ich halte ihn für einen Dummkopf (Narren/Spinner).
3. Hat er sich um die Stelle bei der Bank beworben?
4. Sie stimmten gegen den Vorschlag (Plan).
5. Sie sorgte für ihren Vater, als er krank war.
6. Hast du noch um eine (... um eine weitere) Tasse Kaffee gebeten?
7. Ich interessiere mich sehr für Politik.
8. Sie entschied sich für das grüne Kleid. (... hat sich ... entschieden.)

B. 1. Sie hatten sich beim Direktor (Schulleiter) beschwert (beklagt).
2. Ich stimme gar nicht (überhaupt nicht) mit dir überein.
3. Hast du dich nach den Zügen (An- und Abfahrtszeiten der Züge) erkundigt?
4. Ich sehne mich nach den Ferien.
5. Die Felder gehören [zu] der Schule.
6. Der Mörder wurde zum Tode verurteilt. (... ist ... worden.)
7. Er wurde zum Klassensprecher gewählt.
8. Das (Es) riecht nach verfaultem Fisch.
9. Er entschuldigte sich bei seinem Nachbarn.
10. Er half mir bei meiner (der) Arbeit.

113

C. 1. Ich werde immer an dich denken.
    2. Ich freue mich auf die Party.
    3. Er schimpft (beklagt sich/murrt/meckert) immer über das Wetter.
    4. Sie warnten ihn vor der Gefahr.
    5. Ich erinnere mich gut an den Tag.
    6. Du kannst dich auf mich verlassen. (... auf mich zählen [*slightly old-fashioned/pompous*])
    7 Sie verliebte sich in einen älteren Mann.
    8. Ich gewöhne mich langsam an das Essen.
    9. Ich mag ihn gerne, weil er immer über meine Witze lacht.
    10. Ängstigst du dich vor der Dunkelheit/im Dunkeln? (*The former is not as common as:* Hast du im Dunkeln Angst?/Hast du vor der Dunkelheit Angst?)

J16 Translation of the English present participle
1. Sie entschlossen sich, an den Strand zu fahren, anstatt im Garten zu arbeiten.
2. Er zog seinen (den) Mantel an, ehe (bevor) er das Haus verließ. (Er zog vor dem Verlassen des Hauses seinen Mantel an.)
3. Er setzte sich in das Café (im Café), ohne seinen Freund zu bemerken.
4. Er kam die Straße heruntergerannt (heruntergelaufen).
5. Fährst du gern nach Deutschland?
6. Es war angenehm, am Fluß zu sitzen.
7. Hast du mich kommen sehen?
8. Ich hörte, wie sie [im Auto] abfuhren (wegfuhren). (Ich hörte sie ... abfahren.)
9. Weil (Da) ich müde war, ging ich früh zu (ins) Bett.
10. Er stieg in den Bus, ohne daß ich ihn sah (bemerkte).
11. Er sah, wie seine Kinder im Park spielten. (Er sah ... spielen.)
12. Der Mann, der in der Ecke sitzt, ist ihr Mann.

J17 The passive
A. 1. Das Fenster wurde von den Jungen (Jungs) kaputtgemacht (zerbrochen). (... ist ... zerbrochen worden.)
    2. Sie sind von ihrem Lehrer bestraft worden.
    3. Nachdem er nach Hause geschickt worden war, wurde er sofort ins Bett geschickt (gesteckt).
    4. Ist der Tisch schon gedeckt [worden]?
    5. Von wem wurde das Bild gemalt? (... ist ... gemalt worden?)
    6. Der Film wird jeden Tag um 20 (8) Uhr gezeigt.
    7. Die Ausstellung wird von Tausenden von Menschen besucht (gesehen) worden sein.
    8. Das Spiel wäre gespielt worden (Das Spiel hätte stattgefunden), wenn es keinen Nebel gegeben hätte. (wenn es nicht neblig gewesen wäre/wenn kein Nebel gekommen wäre.)

114

9. Das Rathaus wurde von den Soldaten besetzt (eingenommen), obwohl viele von ihnen verwundet [worden] waren.
10. Die neue Schule wird (gerade) von der Firma meines Vaters gebaut.
11. Sie wird in zwei Monaten vom (durch den) Bürgermeister eröffnet (werden).
12. Man muß ihnen beibringen (sie lehren), wie man die Fragen beantwortet. (Ihnen muß beigebracht werden, die Fragen zu beantworten.)
13. Die Arbeit hätte schneller erledigt (gemacht) werden können.
14. Warum sind sie nicht eingeladen worden? (... wurden sie nicht eingeladen?)
15. Er wurde ins Krankenhaus geschickt (überwiesen), um von einem Facharzt (Spezialisten) untersucht zu werden.

B. 1. Er wurde durch ein (von einem) Auto getötet. (Er ist ... getötet worden.)
2. Er wurde mit einem Messer erstochen (gestochen).
3. Er wurde von seiner Frau ermordet.
4. Das Haus war von (*descriptive*) (wurde mit—*passive*) einer Hecke umgeben.
5. Das Haus wurde (*passive*) (war—*descriptive*) von Polizisten umstellt.
6. War die Tür zu (geschlossen)? (Ist die Tür zugemacht worden?/Wurde die Tür zugemacht?)
7. Ist die Tür von dem Mann oder von der Frau zugemacht (geschlossen) worden? (Wurde ... geschlossen?)
8. Die Tür wurde geöffnet (aufgemacht).
9. Er wurde gebeten, einen Vortrag zu halten.
10. Hier wird (werden) Deutsch und Französisch gesprochen.
11. Dieses Haus ist zu verkaufen.
12. Das Ergebnis (Der Erfolg) bleibt abzuwarten.
13. Ist er mit dem Gewehr erschossen worden, bevor (ehe) oder nachdem sie mit ihrer Strumpfhose erdrosselt worden war? (Wurde er ... erschossen, ...) (Hat man ihn ... erschossen/Erschoß man ihn ..., ... man sie ... erdrosselt hatte?)

J18 The subjunctive
A. 1. Er sagte, er sei Ingenieur.
2. Er sagte, daß er schon einmal in Deutschland gewesen sei.
3. Er fragte, ob er das Buch gelesen habe.
4. Sie fragte, ob er zum Mittagessen nach Hause kommen (zu Hause sein) würde (werde).
5. Sie sagten, daß sie gut (ordentlich) gearbeitet hätte (habe). (Sie sagten, sie hätte (habe) gut gearbeitet.)
6. Sie sagten, sie seien (wären) müde und hungrig. (..., daß ...)
7. Er fragte, wann der Zug ankommen werde (würde).
8. Hast du gefragt, wann sie gehen (gehen wollen)?

9. Er sagte, er werde (würde) seine Uhr bis zum Wochenende repariert haben.
10. Er fragte sie, ob sie ihn heiraten woll(t)e.
11. Ich fragte ihn, wo er Urlaub (Ferien) machen wolle (werde). (..., wohin er in Urlaub fahren wolle (führe).)
12. Haben sie dich gefragt, ob du deine Prüfung bestanden hast? (habest/hättest *both sound archaic here*)

B. 1. Wenn du kein Auto hättest, müßtest du mit dem Bus oder mit dem Zug fahren.
2. [Immer] wenn er in Schottland war, spielte er Golf. (..., pflegte er Golf zu spielen.)
3. Wenn es nicht geregnet hätte, hätte er Tennis gespielt.
4. Wenn ich in München gewesen wäre, hätte ich meinen Onkel besucht. (Wäre ich ...)
5. Wenn ich viel (eine Menge) Geld hätte, würde ich ein Haus mit [einem] Swimmingpool kaufen. (Hätte ich ...)
6. Er hätte mich gesehen (besucht), wenn er [die] Zeit gehabt hätte. (..., hätte er ...)
7. Ich hätte meine Prüfung (mein Examen) bestanden, wenn ich mehr (härter/fleißiger) gearbeitet hätte. (..., hätte ich mehr ...)
8. Wenn ich in einer Bank arbeitete (arbeiten würde), würde ich einen Anzug tragen (trüge ... ich).
9. Ich würde mir den Film ansehen (... den Film sehen), wenn ich die Gelegenheit [dazu] hätte.
10. Falls er kommt, würde ich das Bett für ihn machen. (... ihm das Bett machen.)
11. Wenn er nicht kommt, wäre ich nicht enttäuscht.
12. Ich hätte ihren Neffen kennengelernt (getroffen), wenn ich länger geblieben wäre.
13. [Immer] wenn ich in Deutschland war, [so] sprach ich [normalerweise] Deutsch (pflegte ich ... zu sprechen).
14. Wenn ich in Deutschland wäre, spräche ich Deutsch (..., würde ich Deutsch sprechen.)
15. Hättest du Deutsch gesprochen, wenn du in Deutschland gewesen wärst?

C. 1. Er tat, als ob (wenn) er geschlafen hätte.
2. Es schien, als ob (wenn) sie schon [einmal] dort gewesen (dagewesen) sei (wäre).
3. Es sah aus (schien), als ob (wenn) sie von einem Auto überfahren worden wäre (sei).
4. Es sah aus (schien), als ob (wenn) es die ganze Nacht geregnet hätte. (Es schien die ganze Nacht geregnet zu haben.)

5. Es sah aus (schien), als ob (wenn) sie geschwommen wären (hätten).
   (Sie schienen geschwommen zu sein (haben).)
6. Wenn sie [doch] nur (bloß) aufhören würden (aufhörten)!
7. Wenn ich *das* gewußt hätte, wäre ich gar nicht erst (nie)
   [weg]gegangen ([weg]gefahren/hingegangen).
8. Ich wünschte, ich könnte nach Irland fahren! (*cf.* „Ich wünschte, es
   wäre Nacht, oder die Preußen kämen." (*Wellington at Waterloo*))
9. Sie hätte Arzt (Ärztin) werden sollen! (Sie hätte Ärztin sein sollen =
   If [only] she had been a doctor [then] she could have helped him.)
10. Du hättest den Brief [doch] schreiben sollen!

K 1   Expressions of time
A. 1. letzte Woche
        2. nächstes Jahr
        3. jeden Monat
        4. letzten Donnerstag
        5. jeden Frühling (immer im Frühling)
        6. letzten Herbst
        7. jeden Morgen
        8. nächsten Mittwoch
        9. jeden Abend
       10. jeden Nachmittag

B. 1. eines Morgens
        2. eines Tages
        3. eines Abends
        4. eines Monats
        5. eines Nachts
        6. an einem regnerischen Aprilmorgen
        7. an einem nebligen Novemberabend
        8. an einem sonnigen Sommertag
        9. an einem verschneiten Wintermorgen
       10. an einem windigen Frühlingsnachmittag (Nachmittag im Frühling)

C. 1. Es ist drei Uhr.
        2. Es ist vier Uhr fünfzehn/Viertel nach vier/Viertel fünf/sech-
           zehn Uhr fünfzehn.
        3. Es ist halb sieben (sechs Uhr dreißig).
        4. Es ist vier (sechzehn) Uhr fünfundvierzig/Viertel vor
           fünf/dreiviertel fünf.
        5. Es ist sieben Uhr vierundzwanzig/vierundzwanzig Minuten nach
           sieben/sechs Minuten vor halb acht.
        6. Es ist vierundzwanzig Minuten vor acht/sechs Minuten nach halb
           acht.
        7. Es ist eine Minute vor fünf.

8. Es ist eine Minute nach sechs.
9. um zweiundzwanzig Uhr zwanzig (zwanzig Minuten nach zehn).
10. um neunzehn Uhr siebenundfünfzig (drie Minuten vor acht).

D. 1. zu Weihnachten
2. zu Pfingsten
3. am zweiten Weihnachts(feier)tag
4. am Silvesterabend (Altjahrsabend)
5. am Neujahrstag (an Neujahr)
6. am ersten Weihnachts(feier)tag
7. am Montagmorgen
8. (am) Sonntagnachmittag (*in colloquial German* am *can be omitted here—e.g.* Mittwochabend gehen wir ins Kino)
9. (am) Samstagabend (Sonnabendabend)
10. (am) Mittwochabend
11. [zu] Ostern
12. zu den (für die) Ferien
13. am Wochenende
14. in den (während der) Sommerferien
15. im März
16. im Frühling (Frühjahr)
17. im Herbst
18. in den (während der) Weihnachtsferien
19. in den (während der) Osterferien
20. zu Weihnachten

E. 1. morgens
2. samstags (sonnabends)
3. abends
4. montags
5. nachmittags
6. am Samstag (Sonnabend)
7. am Montag, dem dritten Juni (*cf.* F.3 9)
8. am Dienstag, dem siebten Januar
9. am Donnerstag, dem ersten Mai
10. am nächsten/folgenden/andern Morgen

F. 1. heute
2. gestern
3. morgen
4. heute nachmittag
5. heute abend
6. gestern abend
7. morgen früh
8. morgen nachmittag
9. gestern nachmittag

118

10. vorgestern
11. übermorgen
12. gestern morgen
13. in einer Woche (acht Tagen)
14. gestern vor vierzehn Tagen (zwei Wochen)
15. morgen in einer Woche (acht Tagen)

G. 1. zuerst/zunächst einmal
2. plötzlich
3. kurz danach (darauf)
4. bald danach (darauf)
5. sofort danach (darauf)/gleich darauf (danach)
6. kurz zuvor (vorher)
7. vor zwei Tagen (vorgestern)
8. in drei Monaten
9. vor einem Jahr
10. in einem Monat
11. endlich
12. zuletzt (schließlich)

H. 1. eine Viertelstunde später
2. eine halbe Stunde später
3. eine Dreiviertelstunde später
4. eine Stunde später
5. eineinhalb (anderthalb) Stunden später
6. eindreiviertel Stunden später
7. zwei Stunden später
8. zweieinhalb Stunden später
9. einige (mehrere) Stunden später

I. 1. Er ist schon eine Woche [lang](seit einer Woche) hier.
2. Seit wann arbeitest du [schon] dort (da)?
3. Seit wann kennst du deinen (besten) Freund?
4. Er wohnte dort (da) schon seit einem Monat. (Er hatte dort schon einen Monat lang gewohnt (gelebt).)
5. Sie unterhielten sich eine Viertelstunde [lang].
6. Ich fahre [für] einen Monat nach Deutschland.

K2 Word order
A. Direct and indirect objects
1. Nachdem sie ihrem Mann ihren neuen Rock gezeigt hatte, zeigte sie ihm auch ihren neuen Pullover.
2. Sie kauften ein Fahrrad für ihren Sohn (ihrem Sohn ein Fahrrad) und schenkten es ihm zum Geburtstag.
3. Er freute sich (war sehr erfreut), weil sie ihm einen Cassettenrecorder geschenkt hatten.

4. Ich habe deiner Schwester einen Kohlkopf mitgebracht (. . . für deine Schwester . . . mitgebracht). Hast du ihn ihr gegeben?
5. Hast du ihnen die Briefe gezeigt, die dir der Postbote (Briefträger) heute morgen gebracht hat?
6. Vergiß nicht, mir deine Adresse und [deine] Telefonnummer zu geben.
7. Zeigst du deinen Freunden (Bekannten) die Photos heute abend oder zeigst du sie ihnen erst morgen früh?
8. Ich habe vergessen, ihr meinen neuen Photoapparat (meine neue Kamera) zu zeigen.
9. Ich hätte dir die Bücher [ja] geschickt, aber ich mußte sie erst meinem Bruder zeigen.
10. Gib mir den Brief, wenn du ihn geschrieben hast, [und] ich gebe ihn dann dem Direktor (Schulleiter).

B. Time, manner, place
1. Bist du letztes Jahr nach Spanien gefahren?
2. Gestern abend ging er mit seiner Freundin in ein italienisches Restaurant essen.
3. Nach Feierabend (der Arbeit) ging er mit einem Bekannten (Freund) nach Hause.
4. Da er an dem (jenem) Morgen sehr spät zur Arbeit kam, fuhr er mit seinem Auto noch schneller als gewöhnlich zu seinem Büro.
5. Sie schlich sich heute morgen so leise wie möglich aus dem Schlafzimmer, da ihr Mann am Vorabend (am Abend zuvor) betrunken zu (ins) Bett gegangen war, und sie ihn nicht aufwecken wollte.

C. The position of 'nicht'
1. Ich habe ihn nicht gesehen. Hast du ihn gesehen?
2. Er hat es nicht seinem Bruder, sondern seiner Schwester gegeben.
3. Du hättest heute morgen nicht ins Büro gehen sollen.
4. Schreib ihm nicht (Schreib nicht an ihn)!
5. Steh nicht auf!
6. Sie kommen heute abend nicht.
7. Sie kommen nicht heute abend, sondern morgen früh.
8. Du brauchst nicht zu kommen, wenn du nicht schwimmen willst.
9. Ich wäre enttäuscht gewesen, wenn er heute abend nicht hätte kommen können.
10. Er ist nicht mit dem Bus, sondern mit dem Zug gekommen.
11. Sie ist nicht meine Freundin.
12. Da er kein Geld hatte, konnte er nicht kommen.

Acknowledgements

The authors and publishers would like to thank the following for permission to reproduce copyright material:

Bild Zeitung: Listening Comprehension Test 4 (p. 56)
Fischer Verlag: Prose 19 (p. 12)
International Literary Agency: Prose 47 (p. 29)
Kehler Stadtanzeiger: Aural Comprehension Tests 1, 9 (pp. 32, 44)
Stader Tageblatt: Aural Comprehension Tests 2, 6, 10 (pp. 34, 40, 46); Listening Comprehension Tests 1, 2, 3, 5, 6 (pp. 54, 55, 56, 57, 58)
Die Zeit: Aural Comprehension Test 8 (p. 43)